LES CAHIERS
du musée national de la Renaissance

N° 4

LES CASSONI PEINTS
DU MUSÉE NATIONAL
DE LA RENAISSANCE

LES CASSONI PEINTS
DU MUSÉE NATIONAL
DE LA RENAISSANCE

Réunion
des Musées
Nationaux

musée
national
de la Renaissance

Remerciements

Nous tenons à remercier chaleureusement Claudie Balavoine et Christiane Klapisch-Zuber pour leurs remarques constructives et leurs suggestions, ainsi que Alain Erlande-Brandenburg, directeur du musée national de la Renaissance à Écouen, et Thierry Crépin-Leblond, directeur des musées de Blois, à l'initiative de cette publication et qui ont soutenu cette recherche.

Nos remerciements vont également à Jean-Pierre Mohen, directeur du Centre de restauration et de recherche des musées de France (C2RMF), ainsi qu'à Christine Benoît, ingénieur d'études et Bruno Mottin, conservateur du patrimoine, responsable de la filière peinture (C2RMF).

Nous sommes extrêmement reconnaissante aux étudiants des séminaires d'iconologie de Claudie Balavoine, à Tours, et ceux de Christiane Klapisch-Zuber de l'EHESS pour leurs suggestions. Enfin, que soient remerciés nos amis et proches pour leurs encouragements : Christophe Ardouin, Françoise Bardon, Ludovic Blet-Charaudeau, Josette et Gilbert Bourdin, Pascal Dubourg-Glatigny, Alexandra Fleury, Michèle Henry, Eddy Minet, Michèle Prévost, Danielle Reynaud et David Roux.

Ce catalogue leur est dédié.

Couverture :
L'Histoire de Lucrèce et Tarquin (cat. 3, détail)
et *Achille et Briséis* (cat. 9, détail)
Écouen, musée national de la Renaissance

ISBN : 2-7118-4835-3
SZ 00 4835
© Éditions de la Réunion des musées nationaux, Paris 2004
49, rue Étienne-Marcel, 75001 Paris

Grâce à la loi votée en 1843, les collections qu'Alexandre Du Sommerard avait réunies dans l'appartement de l'Hôtel de Cluny étaient achetées par l'État et le fonds lapidaire de la Ville de Paris abrité dans le Frigidarium des Thermes du Nord donné pour former le musée des Thermes et de l'Hôtel de Cluny. Le nombre de pièces s'élevait alors à 1 434 numéros.

La nomination à la tête de la jeune institution du fils du collectionneur, Edmond, allait lui donner un élan exceptionnel ; en 1883, le catalogue dénombrait 10 351 objets. Ils offraient un panorama unique de la création artistique du Moyen Âge et de la Renaissance, parmi lesquels quinze panneaux peints provenant de coffres de mariage démontés. Trois d'entre eux avaient été achetés par Edmond Du Sommerard ; quant aux autres, ils avaient été affectés par l'empereur Napoléon III au musée sur les 11 835 objets achetés le 27 juin 1861 par l'État. Ils provenaient de la collection du fameux marquis Campana (1808-1880), alors directeur du mont-de-piété à Rome, qui fut condamné à la suite d'un certain nombre de malversations. Ces *cassoni* furent présentés au musée des Thermes et de l'Hôtel de Cluny jusqu'à la veille de la Seconde Guerre mondiale.

Il fut décidé ensuite d'établir une séparation dans les collections pour présenter à Paris les œuvres du Moyen Âge et de réserver celles de la Renaissance à un futur musée. La fermeture en 1962 de la Maison d'éducation de la Légion d'honneur, que Napoléon Ier avait installée au château d'Écouen, offrait une possibilité dont André Malraux, alors ministre d'État chargé des affaires culturelles, connaissait le caractère exceptionnel. Le musée ouvrait ses portes en 1977 lors d'une première inauguration, suivie d'une seconde en 1981 et d'une troisième en 1985. C'est au cours de cette dernière que l'exceptionnelle collection des *cassoni* fut présentée au public dans le pavillon nord-ouest du deuxième étage. Elle était en fait inconnue.

Il a fallu toute la patience, la sagacité et l'érudition de Karinne Simonneau pour traiter un sujet délicat. L'iconographie et le style soulèvent des questions difficiles. Pour le premier point, une large culture littéraire s'imposait pour décrypter des scènes complexes et dont l'interprétation offrait de nombreux pièges. Pour le second, Mme Simonneau a pris soin, avant de proposer des groupements, de se livrer à une analyse approfondie de cette production très spécifique dont il ne subsiste aujourd'hui que des lambeaux mutilés.

Alain Erlande-Brandenburg
Conservateur général du Patrimoine
Directeur du musée national de la Renaissance

AUTEURS

Alain ERLANDE-BRANDENBURG
Conservateur général du patrimoine,
Directeur du musée national de la Renaissance, château d'Écouen

Karinne SIMONNEAU
Docteur en Histoire de l'art moderne,
Centre d'études supérieures de la Renaissance (CESR), Tours

Christine BENOÎT
Ingénieur d'études (Analyse organique),
Laboratoire de recherche des musées de France, au Centre de recherche
et de restauration des musées de France (C2RMF), Paris

.

SOMMAIRE

I
LES COFFRES DE MARIAGE

Karinne SIMONNEAU

Les *cassoni* ou « coffres de mariage » apparaissent dès la fin du XIVᵉ siècle dans les républiques de Sienne et de Florence où ils portent le nom de *forzieri*. Un siècle plus tard, ils deviennent très populaires dans toute l'Italie. Habituellement fabriqués par paire, ils sont livrés le jour des noces afin de recevoir le trousseau de la mariée[1], comprenant des tissus, des robes ordinaires ou des pièces de linge ouvragé[2].

Selon différentes sources – actes testamentaires, inventaires après décès ou documents iconographiques[3] –, le mobilier des chambres est souvent d'une relative simplicité : le lit, généralement posé sur des tréteaux, est entouré de trois coffres ou *cassapanche*[4]. De part et d'autre prennent place les *forzieri* nuptiaux, comme les contemporains l'ont figuré, ainsi qu'on peut le voir dans le *L'Esprit de Sychée apparaît à Didon en rêve* (fig. 1), tiré de l'*Énéide* de Virgile enluminé par Apollonio di Giovanni. Dans cette miniature, les coffres sont disposés à droite et à gauche du lit. On distingue nettement sur le petit côté une peinture représentant un petit garçon jouant avec un chien. Le couvercle est bombé, contrairement aux autres coffres bas, convertis à l'occasion en lits d'appoint. D'après les documents d'archives, le trousseau était généralement posé à l'intérieur des coffres, ce qui explique qu'ils étaient munis de fortes serrures. Dans les *Libri della Famiglia* d'Alberti, Giannozzo s'adresse à sa femme en ces termes : « Si tu disposes à l'intérieur de tes coffres de mariage non seulement tes robes de soie et d'or et tes joyaux précieux, mais aussi le lin à filer et le petit pot d'huile [...] et que tu enfermes tout cela en sécurité avec ta clé, dis-moi, penses-tu avoir bien fait attention à toute chose[5] ? »

Aux XIVᵉ et XVᵉ siècles, le décor des *forzieri* est généralement peint *a tempera*[6] ou à l'huile sur un support en bois de peuplier, alors que dès la fin du XVᵉ siècle, il est plutôt sculpté en relief, avec des parties en *gesso* peint et doré ou bien marquetées. Ce décor permet de les distinguer des autres coffres usuels, qu'utilisaient les Italiens du Quattrocento dans les autres pièces de la maison[7]. Des scènes mythologiques, historiques ou bibliques sont peintes sur le panneau de façade et sur les panneaux latéraux (fig. 2). Le couvercle et l'intérieur du meuble s'ornent de motifs héraldiques, plus rarement de portraits, ou d'un décor végétal. De tous les présents offerts au couple, les *cassoni* sont ceux qui ont été les mieux conservés. Dans l'imposant ouvrage que Paul Schubring leur consacre en 1915, il en répertorie plus de sept cents exemplaires[8], un inventaire qui n'a jamais cessé de s'étoffer depuis.

Néanmoins, ces *cassoni* nous sont rarement parvenus intacts. En effet, dès la Renaissance, leurs panneaux peints ont séduit amateurs et collectionneurs, ce dont témoigne déjà Giorgio Vasari dans sa *Vie* de Dello Delli, rédigée en 1568[9]. De ce fait, ils ont été transformés, découpés, parfois plusieurs panneaux d'origines différentes ont été assemblés pour former un nouveau coffre[10]. Le musée national de la Renaissance d'Écouen présente quatre paires de panneaux de façade, ce qui est un cas assez exceptionnel en Europe.

Le déroulement d'un mariage à la Renaissance

Soumis à un rituel précis, le mariage à la Renaissance est avant tout laïc et la cérémonie à l'église est laissée au libre choix des époux. Un notaire était donc présent tout au long des échanges. Il avait pour charge de consigner les étapes du mariage, d'en vérifier la légalité et de rendre publics les engagements entre les familles[11]. D'autres documents, les *ricordi*, ou mémoires, rédigés par les pères ou les maris, confirment la nature des échanges et la forme du rituel.

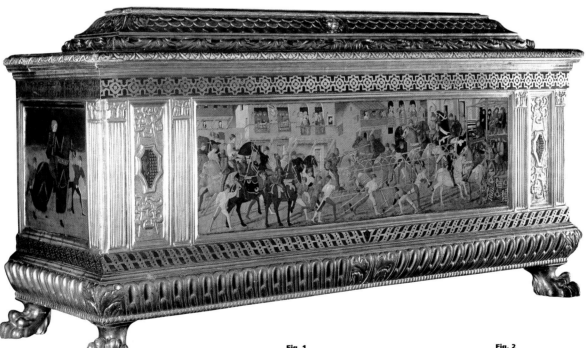

Fig. 1
Apollonio di Giovanni
*L'Esprit de Sychée apparaît
à Didon en rêve*,
milieu XVᵉ siècle, Virgile,
Énéide,
Florence, Biblioteca
Riccardiana, ms. 492 et folio.

Fig. 2
Apollonio di Giovanni
Coffre de mariage,
*Un tournoi sur la place Santa
Croce à Florence*,
milieu XVᵉ siècle,
Londres, National Gallery.

Ses différentes phases duraient parfois une année. La femme était toujours absente des premières cérémonies où elle était représentée par son père ou par un membre de sa famille[12].

Trois phases importantes marquent le déroulement du mariage, une fois l'accord des fiançailles scellé par une simple poignée de main, le « tope-là »[13], où le père s'engage devant témoins à donner une dot à sa fille. Quelques jours après cette poignée de main, les deux familles se réunissent de nouveau pour le *giuramento grande*. Seuls les hommes des deux lignages et leurs alliés sont conviés à cette cérémonie. Cette étape officielle a généralement pour cadre un lieu public et oblige les deux parties à respecter la promesse contractée. Le fiancé peut débuter officiellement sa cour en offrant des bijoux ou d'autres présents contenus dans un bassin d'argent ou un coffret, appelé *forzerino* ou *cassetta*. De nombreux exemplaires nous sont parvenus, ornés de parois sculptées dans l'ivoire[14] ou avec un décor *a pastiglia* (en stuc)[15].

Dès l'instant où les deux familles ont dépassé le stade des promesses verbales par un engagement devant témoins et l'envoi de présents, une deuxième étape décisive est abordée. Appelée *anellamento* ou échange des consentements, cette cérémonie est parfois précédée ou suivie d'une messe de mariage (*messa del congiunto*)[16]. L'*anellamento* a pour cadre la maison de la jeune fille[17]. La parentèle proche des époux (hommes et femmes) s'y retrouve en présence d'un notaire[18]. Le notaire chargé de rédiger l'acte *matrimonii* pose également les questions prescrites par l'Église. Le mari passe ensuite l'anneau au quatrième doigt de la main droite de sa femme[19], comme on le voit sur le panneau conservé à Écouen, où Énée épouse Lavinia (cat. 15, p. 77). Des fripiers évaluent ensuite le trousseau (les *donora*) apporté par la mariée : des robes de parade ou d'intérieur, des chemises, des bas et des chaussures, ainsi que des objets usuels (ustensiles de toilette, nécessaire à coudre et à filer) et des objets de dévotion (livres d'heures ou de messe, chapelet en perles de nacre et de corail, image sculptée ou peinte de *Nostra Donna*…).

Au cours de la dernière phase du rituel matrimonial, appelée *domumductio* à Rome, la mariée est conduite de la maison paternelle à celle de son époux. Somptueusement vêtue des atours offerts par son époux et sa famille[20], elle quitte à la nuit tombée la maison paternelle, accompagnée d'un cortège d'amis[21] et de quelques musiciens[22]. Le trousseau est porté à dos d'homme dans des coffres au XIV⁰ siècle, ou dans des baluchons ou des corbeilles au XV⁰ siècle, comme les contemporains l'ont figuré. Les récentes recherches[23] ont montré que la commande des *cassoni* est laissée à l'initiative des parents à partir du XIV⁰ siècle[24]. Dès les années 1415-1420, elle est effectuée par les maris[25]. Enfin, entre 1440 et 1470, les deux traditions – commandes maritales et commandes parentales – coexistent[26]. Après 1470, nouveau bouleversement des pratiques puisque ce serait à nouveau le père de la mariée qui achèterait les *forzieri*[27]. De manière absolue, la commande est toujours laissée au libre vouloir des hommes (père de la mariée, mari ou peintre), qui déterminent ou du moins approuvent les choix iconographiques. Elle est passée au moins un an avant le *giuramento*, peu de temps après l'accord des fiançailles. Le premier mois sert au menuisier à fabriquer les coffres, qui sont confectionnés à la demande. Le décor – peintures et dorures – s'échelonne quant à lui sur plusieurs mois (de six à neuf)[28].

À l'issue de la *domumductio*, un repas de noces est offert par le mari aux femmes, parentes de son épouse, ainsi qu'aux amis[29]. Les festivités se terminent par des danses et, pour les familles plus aisées, par des tournois ou des joutes à cheval[30].

La fabrication des coffres

Au XIV⁰ siècle, des menuisiers spécialisés assemblent et décorent les coffres[31]. À partir du XV⁰ siècle, cette tâche incombe aux peintres qui centralisent la commande et coordonnent l'intervention des trois professions concernées par la fabrication d'un coffre : le menuisier, le peintre et le doreur. Dans ces ateliers, les artisans ne se cantonnent pas à la décoration des coffres, mais réalisent tout ce qui est nécessaire à l'installation des époux : mobilier de la chambre nuptiale, peintures murales, tableaux de dévotion privée. Par exemple, différents corps d'artisans (peintres, doreurs, fresquistes, menuisiers, enlumineurs) interviennent épisodiquement dans l'échoppe d'Apollonio di Giovanni et de son associé, Marco del Buono. Des peintres renommés, tels que Giovanni di ser Giovanni, dit Scheggia (le frère de Masaccio), Domenico Veneziano, Benozzo Gozzoli et les frères Pollaiuollo à Florence, Giorgione et Titien à Venise, ont été ainsi conduits à exercer cette activité.

L'identification de modèles précis reste cependant délicate : les coffres de mariage réalisés au cours du XVᵉ siècle présentent souvent une iconographie inédite. Néanmoins, grâce à certains indices, le fonctionnement des ateliers est mieux connu. Récemment, les études réflectographiques conduites sur l'*Histoire de Camille* du musée des Beaux-Arts de Tours ont montré la présence d'un texte ajouté par le maître de l'atelier pour indiquer les couleurs à appliquer[32]. Par ailleurs, dans le *Libro della bottega* d'Apollonio di Giovanni, plusieurs thèmes iconographiques identiques, tels la *Rencontre du roi Salomon et de la reine de Saba*, les *Trionfi* ou les *Scènes de bataille* ont étés livrés à différents clients. Cet atelier disposait vraisemblablement de patrons « types » pour exécuter des panneaux similaires. Nous en voulons pour preuve un autre exemple, une *Histoire de Lucrèce* figurée avec peu de variantes sur quatre devants de *forzieri* et conservée en différents lieux, à Oxford, à Zurich, en Californie et au musée Jacquemart-André de Paris[33].

Les peintres s'appuient également sur des modèles, en particulier des dessins. Ainsi, le *Jeune Homme nu allongé* – un revers de couvercle conservé au musée du Petit Palais d'Avignon – a pour source un beau dessin à la plume attribué dernièrement à Maso Finiguerra[34]. Autre lien entre dessin et peinture de coffres, la constellation du Dragon et des deux Ourses représentée au folio 72 v° de l'*Aratus & Hyginus Astronomica* conservé à la Biblioteca Laurenziana de Florence et reprise sur le panneau de l'*Histoire de Callisto* du Museum of Fine Arts de Springfield[35]. Parfois, certains peintres ont pu avoir recours à des prototypes sculptés, tel un *Hercule romain* utilisé pour représenter *Hercule et le lion de Némée* conservé au Metropolitan Museum de New York.

Autre procédé : le calque. En comparant deux coffres de mariage de Guidoccio Cozzarelli (dont cat. 4), on remarque que deux figures de femme sont identiques : celle tenant un vase dans *La Légende de Clélie* (fig. 18) et celle debout, les mains levées, sans vase, dans la scène des adieux de Pénélope et d'Ulysse (fig. 15, p. 38).

La naissance d'une collection

Objets d'usage, ces coffres deviennent très tôt objets de collection – ce dont témoigne Vasari[36]. Certains restèrent aux mains de grandes familles aristocratiques ; d'autres entrèrent sur le marché de l'art et passèrent aux mains d'amateurs fortunés[37], tels que le comte Lanckoronski (1848-1933)[38] ou le duc de Crawford, de connaisseurs, tels que Martin Le Roy (1842-1918) et Stefano Bardini (1836-1922)[39], ou de courtiers, tel que William Spence (1815-1900)[40]. D'autres encore recherchèrent ces coffres pour recréer des ambiances médiévales[41].

Archéologue passionné, Giovanni Pietro Campana (1808-1880) illustre parfaitement le portrait d'un de ces grands collectionneurs du XIXᵉ siècle[42]. Issu d'une famille cultivée et aisée – son grand-père Giampietro, également amateur d'antiquités et archéologue, travaillait pour le compte du pape Pie IV[43] –, il a eu une carrière originale. Après ses humanités, il occupe en 1831 le poste d'assistant de l'inspecteur du mont-de-piété (Monte) à Rome, charge héritée de son grand-père. Il devient à son tour inspecteur l'année suivante, puis directeur en août 1832[44]. Avec l'assentiment du pape Grégoire XIII, il entreprend une réforme fondamentale de la Banque des dépôts (Banco dei Depositi), lui permettant de disposer d'un fonds de réserves en espèces. Le Monte effectue alors des « placements » et fait l'acquisition de propriétés et d'œuvres d'art.

Parallèlement, Giovanni Pietro Campana, proche de l'État pontifical, bénéficie d'une position centrale dans les cercles érudits romains : il est membre de plusieurs sociétés de bienfaisance, président de la Société des *Belle Arti* et l'invité de différentes sociétés savantes donnant expertises ou conférences.

Pour ses demeures – dont sa villa Campana[45] près de Saint-Jean-de-Latran devenue célèbre après la visite du pape Pie IX en 1846 –, il achète des pièces de l'Antiquité grecque, étrusque et romaine et fait également l'acquisition de nombreux tableaux vendus par de grandes familles italiennes telles que les Barberini Colonna de Sciarra, les Rinuccini de Florence, le cardinal Fesch.

Dans une missive du 14 septembre 1847 adressée au marquis Campana, le gouvernement de Pie IX dénonce des malversations financières et souligne de nombreuses irrégularités dans le fonctionnement du Monte. Cependant, les événements politiques de 1848-1849 (le départ de Pie IX et l'avènement d'une nouvelle république) permettant à Campana de réaffirmer sa fidélité à la papauté au détriment de la République, il retrouve les faveurs du pape. Il obtient fin 1849 l'autorisation d'accepter des objets d'art au mont-de-piété[46].

La passion du marquis excède sa fortune personnelle. Il profite alors de ses fonctions pour « donner des gages sur des objets d'art » en s'appuyant sur une estimation de l'Accademia di San Luca de Rome. Bien que ce système ait été rapidement réprouvé, Campana met en gage près de 218 tableaux en sa possession. Après plusieurs avertissements, l'arrestation du marquis le 28 novembre 1857 marque la fin de cette aventure. Il est jugé lors d'un procès retentissant le 5 juillet 1858[47]. Mais, le 28 avril 1859, sous la pression de l'opinion publique et de la presse, la première condamnation du marquis Campana (vingt ans de galère et le remboursement de sa dette) est commuée en crime de « péculat » et Campana accepte de céder ses collections au pape. Le catalogue de ses biens est dressé par catégorie d'objets en 1857 et publié en 1858[48].

Dès 1860, le nouveau musée londonien de Kensington, le Victoria & Albert Museum, achète le lot de sculptures[49]; en 1861, c'est au tour de la Russie de s'adjuger les vases antiques, les statues et les bijoux[50]. Sur les conseils de Léon Rénier et du peintre Sébastien Cornu, Napoléon III décide d'acheter les collections restantes[51], achat attesté le 27 juin 1861. Il acquiert 11 835 objets pour la somme de 4 800 000 francs or : 646 peintures font partie de ce lot, issues des sections VIII et IX du catalogue publié par Campana[52]. L'empereur songe

d'abord à créer un Musée Napoléon III, inauguré le 1er mai 1862. Il souhaite fonder un « musée d'art industriel » pour développer le goût de la création. Mais dès juin 1862, le musée est fermé, les collections sont réunies au musée du Louvre et la dispersion des « doubles » est décidée le 11 juillet 1862. Trois cent vingt-deux tableaux sont déposés dans soixante-sept musées – ce qui est réalisé de 1863 à 1874[53] –, auxquels on ajouta cent quarante-et-un tableaux en 1872 et trente-huit autres en 1876.

Edmond Du Sommerard[54] obtint aussitôt pour le musée de Cluny le dépôt de douze *cassoni*, plaidant vraisemblablement que le musée était déjà riche de trois panneaux similaires, l'un acquis en 1843 (collection Du Sommerard, Cl. 847) et deux achetés en 1848 à Jacob Aîné à Paris (Cl. 1744 et 1745). Les panneaux de *cassone* sont exposés au musée des Thermes et de l'Hôtel de Cluny, dans la salle 22 – actuellement salle 25 – au premier étage du musée, jusqu'à la fermeture avant la Seconde Guerre mondiale. Cet ensemble de panneaux de coffres de mariage s'intégrait parfaitement aux collections du musée de Cluny. Cet engouement pour la vie quotidienne, relayé par les reconstructions de Viollet-le-Duc (comme le château de Pierrefonds ou la cité de Carcassonne), trouve un écho raffiné dans les ensembles hétéroclites de grands amateurs parisiens tels que Cernuschi, Jacquemart-André ou les lords anglais Robinson, Ashburnam ou Crawford[55]. Au début du XXe siècle, plusieurs collectionneurs se déferont de ces pièces au profit de toiles ou d'objets orientaux, désormais plus « chics ».

Bernard Berenson[56] a attiré l'attention de Michel Laclotte sur l'extraordinaire rassemblement de peintures de la collection Campana ; ce dernier convainc la direction des Musées de France de faire une « opération Campana », destinée à réunir un certain nombre d'objets jusqu'alors dispersés dans les musées de province. Le musée du Petit Palais d'Avignon – inauguré en 1976 – reçoit un très important dépôt de peintures italiennes de la collection, dont 15 *cassoni* (inv. 65-66, 110, 127, 128, 129, 130, 137 bis, 137 ter a, b, c, d, 141 bis a et b, 141 ter), qui comprennent un exceptionnel panneau de Liberale da Verona[57] et un exemple rare de revers de coffre avec un jeune homme nu allongé.

Le musée des Thermes et de l'Hôtel de Cluny, qui commençait à élaborer le projet du musée national de la Renaissance, souhaita conserver les *cassoni* pour les présenter – avec toutes les œuvres du musée de Cluny appartenant à la période de la Renaissance –, au château d'Écouen, aménagé progressivement en 1977, 1981 et 1985[58]. Ils sont exposés en 1985 dans le pavillon nord-ouest au deuxième étage du musée. À cette occasion, il a été décidé, pour des raisons de conservation, de créer des cadres adaptés à la forme bombée de chaque panneau, afin d'éviter toute contrainte.

Les œuvres du musée

Conformément à l'esprit de la collection telle que Campana l'avait conçue, plusieurs ateliers très actifs à la Renaissance sont particulièrement bien représentés : ceux de Giovanni di ser Giovanni (1406-1486), plus communément appelé Scheggia (cat. 1 et 2, cat. 5 et 6, cat. 7 et 8, cat. 14)[59], d'Apollonio di Giovanni (1415/1417-1465, cat. 15)[60], deux peintres florentins célèbres. L'atelier de ce dernier est bien connu depuis la découverte d'un manuscrit du XVIIe siècle, en fait une copie du *Libro della bottega* (ou livre de comptes), où figurent les paiements reçus par l'atelier de Marco del Buono et Apollonio di Giovanni. Dans cette liste sont inscrits les noms des époux, la somme versée et parfois la nature de l'œuvre[61]. D'après ces indications, le coût global des meubles en bois demeure élevé, puisqu'il s'élève à 48 florins[62]. Pour donner un ordre de grandeur, un tableau d'autel coûtait entre 30[63] et 120 florins[64]. Trois panneaux proviennent également d'ateliers florentins (cat. 11, 12 et 13).

L'école siennoise est présente au musée avec deux panneaux de Guidoccio Cozzarelli (1450-1516/1517 [?], cat. 3 et 4)[65], l'auteur de plusieurs coffres de mariage, de retables, mais également d'enluminures[66]. Enfin, deux panneaux de l'histoire d'*Achille et Briséis* sont attribués à l'école ombrienne[67] (cat. 9 et 10).

Comme nous l'avons mentionné plus haut, les coffres de mariage étaient fabriqués par paire. Or les vicissitudes du temps en ont eu raison et il est assez rare de trouver des coffres complets ou d'origine, soit que la peinture ait été retouchée, soit que les divers panneaux aient été assemblés pour former un coffre[68]. Les pratiques spéculatives des « antiquaires » n'ont pas été étrangères à ce phénomène de démantèlement : il était en effet plus lucratif de proposer plusieurs petits panneaux « de l'école d'Uccello » plutôt qu'un meuble encombrant dont le prix de vente était moindre. À l'inverse, certains antiquaires n'ont pas hésité à reconstituer des coffres en assemblant des peintures qui n'avaient pas été exécutées par le même atelier ou bien à les compléter par des copies. Certains musées, comme le Metropolitan Museum de New York, ont choisi de se défaire de ces « faux » dans des ventes publiques[69]. D'autres les ont relégués dans leurs réserve[70].

Le petit nombre de *cassoni* conservés ne facilite guère leur reconstitution par paires. Plusieurs critères ont été retenus : leurs dimensions, leur provenance (la numérotation dans les catalogues de vente), la présence d'armes et les éventuels témoignages historiques (*ricordi*, *libri delle botteghe*). Cependant, ces informations s'avèrent insuffisantes. D'autres données sont indispensables pour se prévenir des reconstitutions du XIXe siècle. Il faut ainsi tenir compte du style, de la structure de l'image, de sa cohérence d'un panneau à l'autre ou des données fournies par les laboratoires. L'étude conduite sur les quinze panneaux de *cassone* du musée a notamment montré que certains « couples » s'imposaient, notamment grâce à l'identification de la source textuelle (par exemple *Hersilie réconciliant les Romains et Sabins* et *L'Entrée triomphale de Romulus et Tatius*, cat. 5 et 6) ou l'examen attentif de la répartition des différentes scènes (par exemple *L'Histoire de Lucrèce et Tarquin* et le *Départ d'Ulysse*, cat. 3 et 4). De même, il ne fait aucun doute que l'*Histoire de Tiberius Gracchus et de Cornélie* et son pendant – une *Histoire non identifiée* – se répondent (cat. 7 et 8) : même rythme des architectures, personnages utilisés en guise de transition d'un édifice à l'autre, parallèle des destins tragiques... En revanche, certains « couples » se trouvent dissociés, tels que celui du *Siège d'une ville* (cat. 12) et d'*Énée et Anténor complotant contre Troie* (cat. 14). Pour ce dernier, la référence explicite au texte de Guido delle Colonne apporte un éclairage nouveau et laisse augurer d'une iconographie différente pour le second panneau. Il paraît plus délicat de trouver un pendant aux scènes de bataille (cat. 11 et 13), dont la thématique était fort prisée des Florentins.

Les quinze panneaux du musée forment trois groupes :
– un premier groupe réunissant 4 paires de panneaux de coffre : *Le Cheval de Troie* et *Un Combat de cavalerie sous les murs de Troie* (cat. 1 et 2) ; *L'Histoire de Lucrèce et Tarquin* et *Le Départ d'Ulysse* (cat. 3 et 4) ; *Hersilie réconciliant les Romains et les Sabins* et *L'Entrée triomphale de Romulus et de Tatius dans Rome* (cat. 5 et 6) ; *Tiberius Gracchus et Cornélie* et une *Histoire non identifiée* (cat. 7 et 8) ;
– un second groupe avec 2 panneaux formant à l'origine une seule peinture, *Achille et Briséis – Briséis devant Agamemnon* (cat. 9 et 10) ;
– un troisième groupe avec 5 panneaux isolés, dont les pendants[71] n'ont pas été identifiés : *Combat de cavalerie entre Romains et Gaulois* (cat. 11) ; le *Siège d'une ville* (cat. 12) ; une *Scène de bataille* (cat. 13) ; *Énée et Anténor complotant contre Troie* (cat. 14) ; *Histoire d'Énée* (cat. 15).

La lecture de l'image

Le format très particulier des coffres de mariage, carré ou rectangulaire, rendait possible la représentation d'une histoire en plusieurs épisodes. L'ordre exact des scènes demeure néanmoins difficile à préciser, certaines d'entre elles figurant à la fois au premier et au second plan, comme sur le panneau de l'*Histoire d'Énée* (cat. 15, p. 77). De surcroît, les peintures de nombreux coffres se lisent de droite à gauche, comme on peut l'observer dans *Énée et d'Anténor complotant contre Troie* (cat. 14, p. 74), et non de gauche à droite, selon le sens de lecture occidental.

Aussi, avant de repérer les moments clés d'une histoire et de restituer l'ordre narratif, un spectateur moderne doit-il explorer la totalité de la surface picturale. L'identification du sujet, étape indispensable à toute lecture de l'image, fait également problème. En effet, dès le XVe siècle, peintres et commanditaires, généralement des marchands aisés ou des patriciens cultivés, privilégient des légendes en rapport avec le mariage ou l'histoire familiale. Le succès des manuscrits et des éditions en langue vernaculaire de plusieurs textes savants ou populaires (*Cantari* et *Leggende* mythologiques, compilations de récits historiques et bibliques) n'est pas étranger à ce choix. De ce fait, les coffres de mariage, de même que les coffrets de fiançailles et les plateaux d'accouchée – autant d'objets en relation avec le couple –, présentent une iconographie novatrice pour l'époque, parfois unique.

Notes

1. À Florence, jusqu'en 1470, le trousseau parvient « souvent le lundi suivant le dimanche des noces », cf. C. Klapisch-Zuber, *La Maison et le nom. Stratégies et rituels dans l'Italie de la Renaissance*, Paris, 1990, p. 189, note 18, ou bien « quelques jours après qu'elle [la mariée] a été « menée » chez son mari » ; *id.*, « Les coffres de mariage et les plateaux d'accouchée à Florence : archive, ethnologie, iconographie », dans *À travers l'image. Lecture iconographique et sens de l'œuvre. Actes du séminaire C.N.R.S. (G.D.R. 712) (Paris, 1991)*, études réunies par Sylvie Deswartes-Rosa, Paris, 1994, p. 309-322, ici p. 313.
2. Cf. C. Klapisch-Zuber, *La Maison et le nom, op. cit.*, 1990, p. 195, qui rapporte l'histoire d'une veuve qui vole dans le coffre de la chambre de son époux défunt : « des manches de *rosato* » taillées pour ses noces et « trois anneaux ».
3. Cf. l'inventaire de la veuve de'Bardi dressé en 1422 et publié par P. Watson, *Virtu and Voluptas in Cassone Painting*, Yale, New Haven, Ph. D., 1970, t. 1, p. 22-23. Plus généralement, voir I. Chabot, « La « sposa in nero ». La Ritualizzazione del lutto delle vedove fiorentine. (Secoli XIV-XV) », *Quaderni storici*, 1994, 29, août, 2, p. 421-462.
4. Cf. P. Thornton, *The Italian Renaissance Interior, 1400-1600*, Londres, 1991, vol. 1, p. 111. À propos du terme « *cassapancha* », consulter V. Pagliuzzi, « Mobili del medioevo : il cassone, la cassapanca, il seggiolone, dal secolo XII al secolo XV », *Arte illustrata*, 1968, 1, p. 40-41 ; *Giotto to Dürer. Early Renaissance Painting in the National Gallery*, ed. by J. Dunkerton, S. Foister, D. Gordon, Londres, 1991, p. 109.
5. C.L. Baskins, *Cassone Painting, Humanism, and Gender in Early Modern Italy*, Cambridge, Cambridge University Press, 1998, p. 12.
6. Technique utilisant de l'œuf comme liant des pigments.
7. À propos des différents types de coffres et de leur usage, consulter T. Pignatti, *Mobili italiani del Rinascimento*, Milan, 1962, p. 25 ; V. Pagliuzzi, *Mobili del medioevo*, 1968, p. 40-41 ; et dernièrement : *Giotto to Dürer*, p. 109 ; P. Thornton, *The Italian Renaissance Interior*, 1991, p. 111.
8. P. Schubring, *Cassoni : Truhen und Truhenbilder der italienischen Frührenaissance. Ein Beitrag zur Profanmalerei in Quattrocento*, Leipzig, 1915, 2 vol.
9. G. Vasari, *Le Vite de'Più eccellenti Architetti, pittori, et scultori italiani, di nuova dal Medesimo riviste et Ampliate, et l'aggiunta delle Vite de'vivi, & de'morti dall'anno 1550 infino al 1567*, Giunti, 1568, Paris, Bibliothèque nationale de France, Rés. K 737-739, p. 256-262.
10. Récemment, E. Callmann a mentionné plusieurs des inventions dues aux faussaires du siècle dernier dans son article « William Blundell Spence and the Transformation of Renaissance Cassoni », *The Burlington Magazine*, 1999, juin, p. 338-348, en particulier p. 342-345.
11. Sur le rôle crucial du notaire à Florence, lire les minutes du procès de Giovanni et Lusanna rapportées par G. Brucker, *Giovanni et Lusanna : amour et mariage à Florence pendant la Renaissance*, trad. par R. Lambrechts, Paris, 1991, plus particulièrement p. 31-32.
12. C. Klapisch-Zuber, *La Maison et le nom, op. cit.*, 1990, p. 155-156.
13. Appelé *impalmamento* ou *toccamano* à Florence, cf. *ibid.*
14. La famille d'Embriachi (Italie du nord) s'illustre durant la première moitié du XVᵉ siècle, cf. J. von Schlosser, « Die Werkstatt der Embriachi in Venedig », dans *Jahrbuch der Kunsthistorischen Sammlungen des Allerhöchsten Kaiserhaus*, 1899, p. 220-282. R.C. Trexler, « The Magi enter Florence : Ubriachi of Florence and Venice », p. 11-36, dans *Church and Community (1200-1600). Studies in the History of Florence and New Spain*, Rome, 1987.
15. Cf. l'étude de J.W. Pommeranz, *Pastigliakästchen. Ein Beitrag zur Kunst und Kulturgeschichte der italienischen Renaissance*, Münster, New York, 1995. Pour la diffusion du mythe d'Europe, cf. K. Simonneau, « L'*Enlèvement d'Europe* sur les coffrets à *pastiglia* (fin XVᵉ-début XVIᵉ siècle) » dans *D'Europe à l'Europe. III. La dimension politique et religieuse du mythe de l'Europe de l'Antiquité à nos jours, Paris, E.N.S., 29-30 novembre 2001* ; textes réunis par O. Wattel-De Croizant, Tours, C. de Bartillat, 2002, p. 215-224.

16. Cette « *messa* » se déroulait avant ou après la remise de l'*anello*, dans une paroisse choisie librement par le couple, cf. les lois somptuaires de 1356, citées par P. Watson, *Virtu and Voluptas*, 1970, t. 2, p. 332.
17. C. Klapisch-Zuber, *La Maison et le nom, op. cit.*, 1990, p. 156.
18. Plus exceptionnellement, il pouvait s'agir d'un membre du clergé, comme me l'a indiqué Christiane Klapisch-Zuber.
19. D. Herlihy et C. Klapisch-Zuber, *Les Toscans et leurs familles : une étude du catasto florentin de 1427*, Paris, 1978, p. 591 : « d'où partent les nerfs spéciaux directement jusqu'au cœur » ; C. Klapisch-Zuber, *La Maison et le nom, op. cit.*, p. 156.
20. À Florence, les *Statuti* de 1415 où sont insérées les lois somptuaires antérieures, ont tenté de juguler le faste des processions, sans trop de succès cependant. Étaient visés la largeur et la longueur des manches, le choix du tissu et l'existence de traîne. Pour de plus amples détails, voir E. Polidori-Calamandrei, *Le Vesti delle Donne Fiorentine*, 1973.
21. D. Herlihy et C. Klapisch-Zuber, *Les Toscans, op. cit.*, 1978, p. 592 ; C. Klapisch-Zuber, *La Maison et le nom, op. cit.*, 1990, p. 157.
22. P. Watson, *Virtu and voluptas*, 1970, p. 345-346.
23. C. Klapisch-Zuber, « Les Noces feintes. Sur quelques lectures de deux thèmes iconographiques dans les *cassoni* florentins », dans *I Tatti Studies. Essays in the Renaissance*, 1995, 6, p. 11-30.
24. C. Klapisch-Zuber, « *Les Coffres de mariage...* » art. cité, 1994.
25. Les occurrences sont cependant plus rares selon C. Klapisch-Zuber, *Les Noces feintes*, art. cité, p. 15.
26. *Ibid.*, p. 5 ; c'est le cas de Rinieri, E. Callmann, « Apollonio di Giovanni and Painting for the Early Renaissance Room », *Antichità viva. Rassegna d'arte*, 1988, 37, 3-4, p. 5-18, plus particulièrement en annexe, p. 16-18.
27. C. Klapisch-Zuber, « *Les Coffres de mariage...* » art. cité, 1994, p. 312.
28. C. L. Baskins, « *Lunga pittura* » : *Narrative Conventions in Tuscan Cassone Painting circa 1450-1500*, Berkeley (California), Ph. D., 1988, p. 261 : « *the expensive chests were commissioned, months or even years before the actual wedding* », thèse publiée en 1998.
29. Il était d'usage que l'épouse y mange peu, selon C. Klapisch-Zuber, « Les noces florentines et leurs cuisiniers », dans *La Sociabilité à table, commensalité et convivialité à travers les âges, Actes du colloque de Rouen, 14-17 novembre 1990*, textes réunis par M. Aurell, O. Dumoulin et F. Thelamon, Rouen, 1991, p. 193-199, en particulier p. 195. Le nombre de convives et les mets sont réglementés, d'après les statuts cités par P. Watson, *Virtu and Voluptas*, 1970, p. 344 et 347-354.
30. Ces spectacles sont décrits par F. Cardini, « Il Torneo nelle feste cerimoniali di corte », *Quaderni di Teatro*, 1984, 25, p. 9-19 ; G. Attolini, *Teatro e spettacoli nel Rinascimento*, Rome, 1988, p. 25-26 et 189-191 ; F. Quinterio, « La Festa sacra e profana », dans *Per Bellezza, per studio, per piacere. Lorenzo il Magnifico e gli spazi dell'arte*, sous la direction de F. Borsi, Florence, 1991, p. 80-86 ; G. Pochat, *Theater und bildende Kunst im Mittelalter und in der Renaissance in Italien*, Grace, 1990, p. 373.
31. Pour les statuts des menuisiers florentins, consulter F. Morandini, *Statuti dell'Arte dei Legnaioli di Firenze (1301-1346)* Florence, 1958. Plus généralement, se reporter à l'article d'A. Bernacchioni, « Le Botteghe di pittura : luoghi, strutture e attività », dans *Maestri e Botteghe : pittura a Firenze alla fine del Quattrocento, Mostra, Firenze, Palazzo Strozzi, 16 ottobre 1992 - 10 gennaio 1993*, Milan, 1992, p. 5-15.
32. É. Ravaud, « Histoire de Camille : examens », p. 78, dans *Italies... Peintures des Musées de la Région Centre*, Paris, Somogy, 1996, souligne la rareté d'un tel exemple.
33. J. Miziolek, *Soggetti classici sui cassoni fiorentini alla viglia del Rinascimento*, Varsovie, 1996, p. 29 et 39, fig. 7a-8b ; même remarque pour une scène tirée du *Ninfale Fiesolano*, dont les devants de coffre sont conservés à Bayonne, à Bowdoin College (Brunswick) et dans une collection privée.
34. L. Melli, *Maso Finiguerra. I disegni*, Florence, 1995.
35. K. Simonneau, « Diana, Callisto and Arcas : A matrimonial panel

from the Springfield Museum of Fine Arts », *Renaissance Studies*, à paraître.

36. G. Vasari, *Les Vies des meilleurs peintres, sculpteurs et architectes*, Paris, 1989, t. 3, p. 64, vie de Dello Delli.

37. Cf. G. Hugues, *Renaissance Cassoni. Masterpieces of Early Italian Art : Painted Marriage Chests (1400-1550)*, Londres, 1997, qui dresse le portrait des collectionneurs les plus connus, p. 214-218.

38. Cf. l'article de J. Miziolek, sur les acquisitions de cette famille polonaise, « The Lanckoronski Collection in Poland », *Antichità Viva. Rassegna d'arte*, 1995, 34, 3, p. 27-40.

39. Tous deux sont cités à maintes reprises dans le répertoire de P. Schubring, *Cassoni, op. cit.*, 1915.

40. Il fut courtier à Florence dans les années 1850, selon E. Callmann, *Apollonio di Giovanni*, 1974, p. 27, n. 10. Plus généralement, se reporter à son récent article : « William Blundell Spence and the Transformation of Renaissance Cassoni », *The Burlington Magazine*, 1999, juin, p. 338-348.

41. Que l'on songe à Wallace, Du Sommerard, Spitz (découvreur de la *Vierge d'Issenheim*) ou même Loti.

42. Se reporter à l'ouvrage récent de S. Sarti, *Giovanni Pietro Campana (1808-1880). The Man and His Collection*, Oxford, 2001. Consulter également l'article très complet de M. Laclotte et E. Mognetti, *Peinture italienne, Avignon, musée du Petit Palais*, Paris, 1976.

43. S. Sarti, *Giovanni Pietro Campana*, Oxford, 2001, p. 2-4.

44. S. Sarti, p. 4.

45. G. Nadalini, « La Villa-musée du marquis de Campana à Rome au milieu du XIXᵉ siècle », *Journal des Savants*, 1996, 2, p. 420-463, plus particulièrement, p. 452-454 ; S. Sarti, p. 7.

46. S. Sarti, p. 6-7.

47. S. Sarti, p. 37-40.

48. G. P. Campana, *Cataloghi del Museo Campana*, Rome, 1858 ; S. Sarti, p. 61-63.

49. *Ibid.*, p. 119.

50. *Ibid.*, p. 120.

51. Il faut rappeler que l'empereur était intervenu auprès du pape pour demander la commutation de la peine de Campana, par l'intermédiaire d'Emily, la fille de son amie Mrs Crawford et l'épouse de Giampietro Campana – amie qui lui avait porté secours lors de son évasion du fort de Ham et avait financé son coup d'État de 1852.

52. S. Sarti, *Giovanni Pietro Campana*, Oxford, 2001, p. 88 et note 879 avec détail de la section VIII, p. 191-198. Nous signalerons cependant que l'auteur de cette retranscription a commis plusieurs erreurs d'identification entre le numéro d'inventaire Campana et celui utilisé désormais pour les coffres de mariage d'Écouen.

53. *Ibid.*, p. 123.

54. Pour de plus amples informations sur la naissance du musée de Cluny, cf. catalogue de l'exposition *Le « gothique » retrouvé avant Viollet-le-Duc, exposition, hôtel de Sully, 31 octobre 1979 - 17 février 1980*, Paris, CNMHS, 1979, p. 99.

55. Cf. G. Hugues, *Renaissance Cassoni*, Londres, 1997, p. 214-218, app. 3.

56. S. Sarti, p. 89 ; G. Hugues, *Cassoni*, 1997, p. 215.

57. *Les Dits du coffre*, exposition, Avignon, musée du Petit Palais, 1994.

58. H. Oursel et T. Crépin-Leblond, *Musée national de la Renaissance, guide*, Paris, RMN, 1994, p. 19-21.

59. Sur Giovanni di ser Giovanni appelé « Lo Scheggia », voir les ouvrages récents de L. Cavazzini, *Il fratello di Masaccio. Giovanni di ser Giovanni detto Scheggia. Mostra, San Giovanni Valdarno, 14 febbraio - 16 maggio 1999*, Sienne, 1999, et le catalogue de ses œuvres présenté par L. Bellosi et M. Haines, *Scheggia*, Florence, 1999, p. 74-98.

60. E. Callmann, *Apollonio di Giovanni*, Oxford, 1974.

61. Par exemple « *Giannozzo d'Agusto Pandolfini per sua figlia maritata di Stoldo. Fl. 33* », dans P. Schubring, *Cassoni*, 1915, p. 431, plus généralement p. 88-91 et la liste en fin de volume, p. 431-437 ; liste rééditée et corrigée par E. Callmann, *Apollonio di Giovanni*, 1974, appendice I, p. 76-81.

62. E. Callmann, *Apollonio di Giovanni and Painting*, 1988, p. 16 : le 18 décembre 1459, « *f. XLVIII s. XII d. IIII* ».

63. C. Klapisch-Zuber, « Du pinceau à l'écritoire. Les "*Ricordanze*" d'un peintre florentin au XVᵉ siècle », p. 567-576 dans *Artistes, artisans et production artistique au Moyen Âge*, éd. par X. Barral I Altet, t. 1, *Les Hommes*, Paris, 1986, p. 573.

64. H. Wohl, « Domenico Veneziano Studies : the Sant'Egidio and Parenti Documents », *Burlington Magazine*, 1971, 113, 824, nov., p. 635-641, prix du coffre cité p. 636.

65. A. Padoa Rizzo, « Cozzarelli Guidoccio », dans *Dizionario Biografico Italiano*, Rome, 1984, t. 30, p. 555-556.

66. K. Christiansen, L. B. Kanter et C. Brandon Strehlke, *La Pittura senese nel Rinascimento (1420-1550)*, Sienne, 1989, p. 296-298.

67. F. Todini, *La Pittura umbra dal Duecento al primo Cinquecento*, Milan, 1989, t. 1, p. 240-245.

68. C'est, par exemple, flagrant pour une *Histoire d'Achille* associée à deux petits côtés d'un style très différent, cf. J. Miziolek, *Soggetti classici sui cassoni fiorentini alla viglia del Rinascimento*, Varsovie, Instytut sztuki polskiej akademii nauk, 1996, p. 67-85, plus particulièrement « La Giovinezza d'Achille », p. 69 et pl. 36 : « Si tratta di un fronte di cassone montato, insieme a due testate del Quattrocento, in un cassone prodotto nell'Ottocento. » De même, E. Callmann et William Blundell Spence, 1999, p. 342-345, mentionnent plusieurs de ces inventions dues aux faussaires du XIXᵉ siècle.

69. Vente Christie's, New York, le 15 octobre 1992, lots 13-16, avec le *Jugement de Pâris* et l'*Enlèvement d'Hélène* sur la façade du coffre et *Campaspe et Aristote* et *Pyrame et Thisbé* sur les petits côtés. Cf. le catalogue de vente Christie's, *European Works*, 15 octobre 1992, p. 18.

70. Londres, Victoria & Albert Museum, réserve, inv. 4639-1858, un coffre « complet », avec le *Triomphe de l'amour, de la chasteté et de la mort* (devant), *Narcisse à la fontaine* et *Pyrame et Thisbé* (petits côtés) et une *Femme nue allongée* (revers de couvercle).

71. Les pendants n'ont pas été retrouvés ou bien se trouvent dans une collection privée, comme celui d'*Achille et Briséis*, connu grâce à un dessin.

CATALOGUE

Karinne SIMONNEAU

I
LES PANNEAUX FORMANT PAIRE

Cat. 1 et 2

*Le Cheval de Troie
Un combat de cavalerie
sous les murs de Troie*

1
Le Cheval de Troie
E. Cl. 7503

Giovanni di ser Giovanni (Scheggia)
1460-1465
Bois de peuplier, débit sur dosse et faux
quartier
42,4 x 163,5 x 2 cm

BIBLIOGRAPHIE
G. P. Campana, 1858, p. 21, n° 180 ;
E. Du Sommerard, 1883, n° 1708 ;
P. Schubring, 1915, p. 255, n° 144, pl. 28 ;
L. Bellosi et M. Haines, 1999, p. 79.

Le récit virgilien

L'histoire du cheval de Troie est rapportée à plusieurs reprises par Homère dans l'*Odyssée*[1]. Selon lui, Ulysse aurait trouvé ce stratagème pour s'introduire dans la ville assiégée et mettre fin à dix ans de guerre entre Grecs et Troyens. Mais c'est Virgile, le poète latin, qui consacre une place importante à cet épisode au livre II de l'*Énéide*, en laissant le soin à Énée, son héros, d'en faire le récit détaillé[2].

Ulysse avait imaginé de construire un grand cheval en bois pouvant contenir dans son ventre creux de redoutables guerriers. Il est offert en présent à Minerve et abandonné devant les murs de Troie, pendant que les troupes grecques se

retirent et restent cachées à proximité. Intrigués, les Troyens sortent de la ville et s'interrogent : est-ce un présent divin ou un nouveau piège des Grecs ? Arrive alors un prisonnier, Siron, qui affirme que Minerve a exigé la construction de cette imposante statue[3]. Rassurés, les Troyens décident de percer une brèche pour l'introduire à l'intérieur de la ville et fêtent alors la paix retrouvée et le départ des Grecs. Mais à la nuit tombée, une fois la ville endormie, les guerriers sortent de leur cachette par une trappe aménagée dans le ventre du cheval et ouvrent les portes de Troie à leurs compagnons. La cité livrée aux ennemis est entièrement détruite, et les Troyens massacrés. Énée, son père Anchise et son fils Ascagne ne trouveront leur salut que dans la fuite.

L'iconographie du cheval de Troie

Scheggia a choisi de représenter le moment où les Troyens font entrer le cheval dans la ville. Mais à Troie a été substituée Florence, que l'on reconnaît grâce à son Duomo coiffé de la tour de la Lanterne[4]. Sur la droite, deux jeunes gens démolissent le rempart. Trois personnages

Fig. 3
Giovanni di ser Giovanni (Scheggia)
Le Cheval de Troie,
milieu XVe siècle,
Florence, musée Stibbert.

les désignent du doigt à notre attention[5]. Le cheval, monté sur un chariot, est tiré par des bœufs et huit adolescents. À gauche, un cavalier empanaché et vêtu d'une armure tourne le dos à la scène centrale : il contient l'armée grecque, paume levée, qui attend son signal pour entrer dans la ville.

Six représentations du cheval de Troie ont été répertoriées à ce jour sur des coffres de mariage[6]. Scheggia en a peint quatre : celle du musée[7], une

deuxième conservée au musée Stibbert de Florence (fig. 3)[8] et deux autres, respectivement à Lugano[9] et à Riggisberg[10]. Contrairement à d'autres coffres florentins[11], il ne s'agit pas de copies, mais de variations sur le même thème. Les panneaux de Florence et de Riggisberg sont très proches et diffèrent de celui du musée : le cheval apparaît à deux reprises, tout d'abord au centre du panneau, puis à l'intérieur de la ville ; les remparts comportent des archères et des fenêtres,

les participants au cortège sont plus nombreux et enfin, à l'arrière-plan, on distingue quelques bateaux et des combats. Celui du musée demeure le plus cohérent et le plus clair de la série.

La représentation du cheval y est particulièrement soignée. Elle n'est pas sans évoquer deux images contemporaines : l'une d'une tête hennissante dans une enluminure du *Cheval de Troie* réalisée par Apollonio di Giovanni (fig. 4 et 5)[12], l'autre du cheval cabré sur ses

Fig. 4
Apollonio di Giovanni
Les Troiens découvrent le cheval de bois, Virgile, *Énéide*, Florence, Biblioteca Riccardiana, ms. 492, fol. 76 v°.

Fig. 5
Apollonio di Giovanni
Le Cheval de bois entre dans Troie, Virgile, *Énéide*, Florence, Biblioteca Riccardiana, ms. 492, fol. 80 r°v°.

deux postérieurs dans le tableau de *Saint Georges et le dragon* peint par Paolo Uccello vers 1455-1460 (fig. 6)[13]. Ces comparaisons nous conduisent à proposer une datation assez tardive, après 1460, ce que semble corroborer la présence de la lanterne du Duomo – on identifie aisément sa base caractéristique –, encore dépourvue de ses marbres, posés en 1472[14]. Les panneaux de Florence et de Riggisberg, aux détails plus fournis, sont probablement postérieurs à celui du musée.

Fig. 6
Paolo Uccello
Saint Georges et le dragon, 1455-1460, Londres, National Gallery.

1. Homère, *Odyssée*, IV, VIII.
2. Virgile, *Énéide*, II, 1-265.
3. *Ibid*. Ulysse avait volé le Palladium dans le temple de Minerve, à Troie.
4. La présence de la tour de la Lanterne à côté du Duomo permet de dater plus précisément ce panneau de la phase finale de sa construction (1445-1472).
5. Le peintre fait preuve ici d'une certaine maladresse : le bras du cavalier de dos est peint par-dessus celui de l'un des deux ouvriers.
6. *Siège de Troie et cheval de Troie*, Tatton Park, Cheshire (cliché Courtauld Institute, Londres, n° B71/871, fin du XVe siècle). Il n'est pas attribué à Scheggia. Une *Histoire de Troie* attribuée à Biagio d'Antonio, est également conservée au Fitzwilliam Musem de Cambridge. Cf. G. Hughes, *Renaissance Cassoni*, 1997.
7. P. Schubring, *Cassoni*, 1915, p. 255, mentionne des dimensions différentes (41 x 162 cm au lieu de 35 x 160 cm actuellement), ce qui laisse supposer que le panneau aurait été coupé. En revanche, les dimensions du pendant, le *Combat sous les murs de Troie*, sont déjà de 35 x 160 cm.
8. L. Bellosi et M. Haines, *Scheggia*, 1999, p. 83.
9. *Lugano, Villa Favorita*, catalogue, 1991,

43 x 127 cm. Le panneau est très abîmé et nous n'avons pas pu en consulter de reproduction.
10. L. Bellosi et M. Haines, *Scheggia*, 1999, p. 92, coll. Abbeg-Stiftung.
11. Tels que ceux illustrés des épisodes de Lucrèce ou des chasses de Diane. La même *Histoire de Lucrèce* a été peinte sur quatre devants de *forzieri* conservés en différents lieux, à Oxford, à Zurich, en Californie et au musée Jacquemart-André de Paris, cf. J. Miziolek, *Soggetti classici*, 1996, p. 29 et 39, fig. 7a-8b. Même remarque pour une scène tirée du *Ninfale Fiesolano*, qui figure sur plusieurs devants de coffre, conservés respectivement à Bayonne, à Bowdoin College (Brunswick) et dans une collection privée.
12. Le manuscrit est conservé à la Biblioteca Riccardiana de Florence [Ricc. 492] ; il a été décoré vers 1460. Cet épisode a été peu illustré entre 1440 et 1460, cf. J. Courcelle, « Les illustrations de l'*Énéide* dans les manuscrits du Xe au XVe siècle », dans *Lectures médiévales de Virgile. Actes du colloque organisé par l'École française de Rome (Rome, 25-28 oct. 1982)*, Rome, 1985, p. 395-409 et J. et P. Courcelle, *Lecteurs païens et lecteurs chrétiens de l'Énéide*, Paris, 1984.
13. À la même époque, plusieurs monuments équestres sont érigés sur des places florentines, comme la statue d'*Erasmo da Narni* dit *Gattamelata* de Donatello (1444-1453).
14. Cette datation plus tardive que celle proposée par L. Bellosi et M. Haines, *Scheggia*, 1999, p. 55 et note 57, nous incitent à rejeter leur hypothèse. Ils pensent en effet que ce panneau serait celui mentionné dans l'inventaire de Nastaggio di Niccolò Bucelli daté 1457 : « *due forzieri con la Storia del Cavallo di Troia* » pour le fol. 24.

2

Un combat de cavalerie
sous les murs de Troie
E. Cl. 7504

Giovanni di ser Giovanni (Scheggia)
1460-1465
Bois de peuplier, débit sur dosse
et faux quartier
37,5 x 161,5 x 1,8 cm

BIBLIOGRAPHIE
G. P. Campana, p. 22, n° 181;
E. Du Sommerard, 1883, n° 1709;
P. Schubring, 1915, p. 288, n° 303;
C. Fricaud, 1991, n° 43; G. Hughes, 1997,
p. 192; L. Bellosi et M. Haines, 1999,
p. 80.

Le combat de cavalerie est un thème fréquent sur les coffres de mariage. Les dimensions de ce panneau sont identiques à celle du *Cheval de Troie* (cat. 1) et sa numération est continue dans l'inventaire du marquis Campana[1], ce qui nous confirme dans l'idée d'une paire. Scheggia utilise ici des motifs qui apparaissent dans plusieurs panneaux. Par exemple, les chevaux peints dans la *Justice de Trajan* (Florence, collection Bruschi) ont la même robe composée (gris/blanc). Le cheval de droite est identique au cheval noir peint sur le panneau d'*Énée et Anténor complotant contre Troie* (cat. 14). On retrouve également la même position caractéristique du cheval blanc, encolure baissée derrière la palissade de bois, sur un coffre vendu à Londres[2].

Les scènes de bataille sont fréquemment représentées sur les coffres de mariage, avec des indices qui favorisent l'identification des armées. Or, ici, les armes peintes sur les bannières, les caparaçons et les capes des cavaliers sont fictives[3]. On a donc voulu voir dans cet affrontement un tournoi[4]. L'absence de spectateur installé aux balcons, comme c'est le cas sur d'autres coffres de mariage[5], invite à renoncer à cette hypothèse.

La symbolique du cheval de Troie
Tous les commentateurs ou continuateurs de l'*Énéide* de Virgile, de Servius[6] à Dante[7], ont mis l'accent sur la fourberie et « la ruse » (*dolus*) du cheval. Dans ses quatre panneaux, Scheggia a souligné le caractère « illicite » de cette introduction du cheval en représentant la brèche pratiquée dans le rempart côté de la porte de la ville, soit grande ouverte dans les versions de Florence et de Riggisberg, soit gardée par des soldats dans la version du musée.

Quelle signification donner à cette histoire dans un contexte matrimonial? Il y a bien allusion au mariage, comme l'indique la présence d'un pommier au-dessus du cheval de bois. Le pommier, attribut traditionnel du

mariage, est aussi l'emblème vénusien de l'amour[8]. Il figure d'ailleurs plusieurs fois sur les différents coffres de mariage réunis au musée national de la Renaissance. Mais il ne peut s'agir que d'une mise en garde et non d'un exemple à suivre, comme l'ont souligné les commentateurs. Le cheval symboliserait ici le traître qui s'introduit par ruse dans la demeure familiale, menaçant l'union conjugale et la paix entre clans. Aussi, pour garantir la réussite de l'union, les futurs époux doivent-ils éviter de suivre l'exemple du cheval de Troie, en veillant à ne laisser entrer personne dans la forteresse conjugale.

1. L. Bellosi et M. Haines, *Scheggia*, 1999, p. 80, les ont récemment attribués à Scheggia, sans pour autant y voir deux pendants.
2. Cf. *The Burlington Magazine*, 1961, suppl., p. 601 et pl. IV. Cette peinture n'a pu être localisée.
3. Une recherche conduite dans les répertoires héraldiques florentins s'est révélée sans résultat.

Il est possible que les arbres – probablement des pommiers – revêtent cette connotation héraldique.
4. Hypothèse de C. Fricaud, *La Représentation des scènes de bataille sur les coffres de mariage du XVe siècle italien*, mémoire de maîtrise, Paris I Sorbonne, 1991, n° 43.
5. Cf. par exemple ceux du *Tournoi en l'honneur d'Énée* conservé à Boston, Museum of Fine Arts (n° 06-2441) et ceux de l'*Histoire de Camille*, Tours, musée des Beaux-Arts.
6. Servius, *Servii Grammatici qui feruntur in Vergilii Aeneidos Libros I-V commentarii*, Lipsiae, 1883, II, 230.
7. Dante, *La Divine Comédie*, *Inferno*, XXVI, v. 58-60.
8. Se reporter à l'ouvrage de G. de Tervarent, *Attributs et symboles dans l'art profane, 1450-1600. Dictionnaire d'un langage perdu*, Genève, 1958-1959, p. 311.

NB
Ce panneau a fait l'objet d'une étude en laboratoire au Centre de recherche et de restauration des musées de France, voir p. 82 à 89.

L'Histoire de Lucrèce et Tarquin
Le Départ d'Ulysse

3

L'Histoire de Lucrèce et Tarquin
E. Cl. 7500

Guidoccio Cozzarelli
1480-1481
Bois de peuplier, débit sur dosse
34,2 x 120,6 x 2,5 cm

BIBLIOGRAPHIE
G. P. Campana, 1858, p. 30, n° 235 ;
E. Du Sommerard, 1883, n° 1705 ;
B. Berenson, 1907, t. 1, p. 99, pl. 882 ;
P. Schubring, 1915, p. 331, n° 469, pl. 109 ;
B. Berenson, 1918, p. 92-93, pl. 58.

L'histoire de Lucrèce et Tarquin

Parmi les nombreux thèmes tirés de l'histoire romaine retenus pour les coffres de mariage, celui de Lucrèce a été l'un des plus représentés[1]. Comme ses prédécesseurs, Guidoccio Cozzarelli s'inspire des *Faits et dits mémorables* de Valère Maxime[2] pour inscrire l'histoire tragique de Lucrèce dans un cadre architectural prestigieux, celui du Forum de Rome.

Collatin et Sextus Tarquin, partis en campagne militaire, se vantent tous les deux de posséder une épouse vertueuse. Pour le vérifier, ils décident de surprendre leurs épouses alors qu'elles les croient absents. Tandis que l'épouse de Sextus Tarquin est trouvée en compagnie de ses amies en plein festin, celle de Collatin, Lucrèce, les

accueille en filant la laine avec ses servantes. Tarquin, à la fois troublé par la beauté de la jeune femme et furieux du caractère volage de son épouse, revient quelques jours plus tard dans la demeure de Lucrèce pour se venger. Sous la menace de son épée, il contraint Lucrèce à tromper son mari. Le lendemain, la jeune femme envoie chercher son père et son frère et leur avoue l'outrage qu'elle a subi. De même, Collatin revient au domicile conjugal. Dès qu'il arrive, Lucrèce jure lui être restée toujours fidèle avant de se donner la mort avec une épée.

La légende de Lucrèce et Tarquin, qui a fait l'objet de nombreux commentaires dès l'Antiquité[3], a rencontré un vif succès littéraire au Moyen Âge[4]. Des auteurs italiens renommés,

Fig. 7 (cat. 3)
Guidoccio Cozzarelli
*L'Histoire de Lucrèce
et Tarquin,*
détail : la querelle entre
Collatin et Tarquin.

Fig. 10 (cat. 3)
Guidoccio Cozzarelli
*L'Histoire de Lucrèce
et Tarquin*,
détail: Collatin et Tarquin
franchissent la porte de Rome.

Guidoccio Cozzarelli emprunte également certains éléments de l'architecture à l'Antiquité romaine, telle que la loggia entourée de pilastres, de même que le motif du cavalier sculpté dans un médaillon en haut et à gauche dans *Le Rêve de saint Jérôme*, qui apparaît sur l'arc de Constantin[12].

De part et d'autre de la scène centrale, Guidoccio Cozzarelli s'est fortement employé à donner à l'histoire un cadre romain. Ainsi, dans la partie droite du panneau (fig. 10), Tarquin et Collatin franchissent une porte de ville flanquée des armes « SPQR » (*Senatus Populusque Romanus* – le Sénat et le Peuple de Rome) et surmontée de l'aigle romain. Dans la partie gauche (fig. 11), les références au Forum romain sont encore plus explicites : on aperçoit au fond l'amphithéâtre du Colisée, avec l'arc de Constantin au premier plan et une fontaine datant de l'époque néronienne (la *meta sudans*)[13]. En raison de l'étroitesse du panneau, Guidoccio Cozzarelli n'a représenté que trois niveaux du Colisée au lieu de quatre. Son dessin fin et ciselé rappelle ceux qu'exécute à la même époque le Siennois Francesco di Giorgio, peintre et architecte réputé[14] (1433-1502). Guidoccio a pu en prendre connaissance grâce à Jacopo Cozzarelli, un membre de sa famille, grand ami de Francesco di Giorgio[15]. Dans le même temps, à la chapelle Sixtine, Botticelli dans la *Punition de Corah et des fils d'Aaron* (fig. 12) et Pérugin dans *La Remise des clés à saint Pierre* (1482-1483) (fig. 13)[16], représentent l'arc de Constantin avec ou sans la fontaine. Guidoccio Cozzarelli, tout en donnant à l'histoire de Lucrèce son caractère romain, a pu souhaiter évoquer l'actualité artistique – le grand chantier du pape Sixte IV en cours dans la chapelle Sixtine. Il semble en effet que Cozzarelli a disposé d'une description précise de la topographie du Forum, alors qu'il possède une connaissance imparfaite des architectures romaines, puisque certains détails

Fig. 8
Matteo di Giovanni
Le Rêve de saint Jérôme,
1472,
Art Institute of Chicago,
Mr. and Mrs. A. Ryerson
Collection, 1933.1018.

Fig. 9
Guidoccio Cozzarelli
*Martyre des apôtres Simon
Zélote et saint Judas Taddeus*,
1486,
Rotterdam, Musée Boijmans
Van Beuningen.

tels que Boccace[5], Giovanni Sercambi[6] ou Coluccio Salutati[7] n'ont pas manqué d'évoquer la conduite exemplaire de cette Romaine. Ainsi, dans ses *Trionfi*, Pétrarque place la vertueuse Lucrèce en tête du char de la Chasteté[8].

La peinture de Guidoccio Cozzarelli

La lecture du panneau débute au centre par la querelle entre Collatin et Tarquin (fig. 7), puis le départ des deux hommes à cheval à droite et enfin le suicide de Lucrèce à gauche. La composition de la scène centrale est empruntée à deux œuvres de Matteo di Giovanni (1430/1433-1495), l'un des maîtres de Cozzarelli dans les années 1470. La première, une *Flagellation du Christ*, se trouve au Duomo de Pienza[9] ; la seconde, *Le Rêve de saint Jérôme* réalisée pour la *pala* de la chapelle Placidi di San Domenico de Sienne en 1472, est conservée à l'Art Institute de Chicago (fig. 8)[10]. Guidoccio Cozzarelli s'inspire du groupe du Christ et des bourreaux pour représenter la dispute de Tarquin – l'homme barbu – avec Collatin, tandis qu'un jeune homme s'interpose. Cette citation de l'œuvre de Matteo di Giovanni n'est pas la seule puisqu'en 1486 Guidoccio Cozzarelli reprend à nouveau cette composition très aérée dans une peinture du *Martyre des apôtres Simon le Zélote et Juda Thaddeus* conservé au musée Boijmans Van Beuningen de Rotterdam (fig. 9)[11].

demeurent fantaisistes (les métopes de l'arc, par exemple).

Devant le Forum, deux femmes se dirigent vers la pièce où Lucrèce se donne la mort (fig. 14). À côté de celle de droite, un cerf est couché (fig. 11)[17]. La présence de cet animal n'est corroborée par aucune source textuelle ou iconographique, mais le cerf est un symbole attesté de l'«ardeur sexuelle»[18]. Par exemple, dans les *Métamorphoses* d'Ovide, la déesse Diane choisit de punir le chasseur Actéon en le transformant en cerf, parce qu'il l'a désiré d'un amour ardent[19]. D'autre part, la couleur jaune du vêtement des deux femmes possède une connotation négative, différente de celle encore plus funeste des vêtements de Lucrèce, de Collatin et de la femme derrière lui[20]. Il pourrait donc s'agir de l'épouse volage de Tarquin et de sa servante. Une des scènes sculptées de l'arc de Constantin, placée au-dessus de la jeune femme au cerf, conforterait cette lecture. En effet, dans ce médaillon, Hadrien poursuit un sanglier, autre animal réputé pour sa forte propension à la luxure[21]. Un autre indice corrobore cette interprétation : les relations haut/bas et personnage/animaux s'observent également dans la partie droite du panneau, où un chien – emblème de la fidélité – et un pot à feu – symbole de l'amour ardent – sont peints au-dessus et au-dessous de Collatin (voir fig. 10).

Malgré son apparence conventionnelle, l'*Histoire de Lucrèce et Tarquin* est d'une extrême richesse iconographique et métaphorique.

Fig. 12
Sandro Botticelli
*La Punition de Corah
et des fils d'Aaron*,
1482-1483
Vatican, chapelle Sixtine.

Fig. 13
Pérugin
*La Remise des clés
à saint Pierre*,
1482-1483
Vatican, chapelle Sixtine.

Fig. 11 (cat. 3)
Guidoccio Cozzarelli
*L'Histoire de Lucrèce
et Tarquin*,
détail : deux femmes devant
un arc de triomphe.

1. Cf. J. Miziolek, *Soggetti classici*, 1996, p. 26-44, présente les exemplaires du XIVe et ceux du début du XVe siècle.
2. Valère Maxime, *Faits et dits mémorables*, Paris, 1997, t. 2, livre VI, 1 «La pudeur».
3. Ovide évoque cette histoire dans le livre II, 24 des *Fastes*. De même, dans l'*Histoire romaine*, Tite-Live lui consacre une partie du chap. LVI.

4. Hans Galinsky, dans son étude détaillée intitulée *Der Lucretia-Stoff in der Welt-Literatur*, Breslau, 1932, a recensé l'ensemble des sources textuelles de l'histoire de Lucrèce.

5. Boccace, *De claris mulieribus*, 46 ; *De casibus virorum*, III, 3 ; *Africa*, III, 774.

6. G. Sercambi (1347-1424), *Il Novelliere*, Rome, 1974, t. 1, p. 263-266.

7. Dans la *Declamatio Lucretiae*. Ce texte est publié dans l'appendice de l'ouvrage de S. H. Jed, *Chaste Thinking. The Rape of Lucretia and the Birth of Humanism*, Bloomington, 1989.

8. Pétrarque, *Tronfi, Trionfo d'amore*, IV, v. 119-120 et *Trionfo della pudicizia*, v. 130-135. Pétrarque mentionne également Lucrèce dans *Le Chansonnier = Il canzoniere*, I, 260, v. 9-10.

9. La ville de Pienza se trouve en Toscane. Nous n'avons pas choisi d'en reproduire l'iconographie, la seconde scène présentant davantage d'analogies avec les peintures de Guidoccio Cozzarelli, cf. *Francesco di Giorgio e il Rinascimento a Siena (1450-1500)* ; éd. L. Bellosi, Sienne, 1993, fig. 58.

10. K. Christiansen, L. B. Kanter et C. Brandon Strehlke, *La Pittura senese nel Rinascimento (1420-1550)*, Sienne, 1989, p. 289, fig. 49a.

11. *Sienese Paintings in Holland*, Groningen, Museum voor Stad en Laude ; Utrecht, Aartsbisschoppelijk Museum, 28 March-28 april 1969 ; 2 may-9 june 1969, cat. n° 2 ; *the Early Sienese Paintings in Holland*, H.W. Van Os *et al.*, Florence, 1989, p. 42-45.

12. Sur le panneau, il s'agit de la *Chasse au sanglier d'Hadrien*.

13. Je dois cette précieuse identification de la fontaine disparue en 1933 à Marc Royo, maître de conférences en histoire antique, université de Tours (fév. 2000).

14. Ce dessin, conservé à Turin, Biblioteca Reale, Codex Saluzziano 148, fol. 71 r°, est publié dans *The Renaissance from Brunelleschi to Michelangelo. The Representation of Architecture ;*

éd. par. H.A. Millon, V. Magnano Lampugnami, Londres, 1994, fig. 9, p. 106-107.

15. M. Pedroli, « Giacomo Cozzarelli (1453-1515) », dans *Dizionario Biografico Italiano*, Rome, 1984, t. 30, p. 557-559.

16. Pour de plus amples détails, consulter l'ouvrage de L.D. Ettlinger, *The Sistine Chapel before Michelangelo. Religious Imagery and Papal Primacy*, Oxford, 1965.

17. La surface est assez lacunaire à cet endroit. Seul un examen radiographique permettra de préciser s'il s'agit d'un ajout postérieur.

18. Dans G. de Tervarent, *Attributs et symboles*, 1959, t. 1, p. 66-67 ; cf. aussi J. Miziolek, *Soggetti classici*, 1996, p. 110. Cette valeur apparaît dans plusieurs mythes où figure le cerf : *Diane et Callisto, Pyrame et Thisbé* sur un coffret de fiançailles conservé au Victoria & Albert Museum de Londres.

19. Remarques collectives des séminaires de Claudie Balavoine, CESR, Tours, et de Christiane Klapisch-Zuber, EHESS, Paris.

20. Sur la symbolique des couleurs, cf. M. Pastoureau, *Couleurs, images, symboles. Études d'histoire et d'anthropologie*, Paris, 1988, plus particulièrement sur l'existence d'un « mauvais jaune », p. 49-53 et 69-83.

21. Au Moyen Âge, sa dénomination dans diverses langues (*porco, wildschwein*, porc entier) évoque sa parenté avec le cochon et son assimilation au porc sauvage, comme le souligne M. Thiébaux dans son article « The Mouth of the Boar as a Symbol in Medieval Literature », *Romance Philology*, 1968/69, 22, 1, p. 281-299. A. J. Grieco parvient aux mêmes conclusions dans son article intitulé « Le thème du cœur mangé : l'ordre, le sauvage et la sauvagerie », dans *La Sociabilité à table, commensalité et convivialité à travers les âges, Actes du colloque de Rouen, 14-17 novembre 1990*, textes réunis par M. Aurell, O. Dumoulin et F. Thélamon, Rouen, 1991, p. 21-27.

Fig. 14 (cat. 3)
Guidoccio Cozzarelli
*L'Histoire de Lucrèce
et Tarquin*,
détail : la mort de Lucrèce.

4
Le Départ d'Ulysse
E. Cl. 7501

Guidoccio Cozzarelli
1480-1481
Bois de peuplier, débit sur dosse
34 x 121,5 x 2,5 cm

BIBLIOGRAPHIE
G. P. Campana, 1858, n° 235 ;
E. Du Sommerard, 1883, n° 1706 ;
B. Berenson, 1907, t. 1, p. 99, pl. 882 ;
J. F. Mather, 1913, janv. ; P. Schubring,
1915, p. 331, n° 740, pl. 109 ; B. Berenson,
1918, p. 92-93, pl. 58.

La séparation

Le périple qui mène Ulysse de Troie à Ithaque durant les vingt années d'absence du domicile conjugal est au cœur de l'*Odyssée* d'Homère. Moins lus que Plutarque ou Aristote, les textes d'Homère sont rares dans les bibliothèques privées à la Renaissance [1]. Aussi le panneau conservé au musée national de la Renaissance constitue-t-il un témoignage assez exceptionnel dans l'art mobilier [2].

Intitulé par erreur le *Retour d'Ulysse*, le sujet principal est au contraire celui du *Départ* du héros [3]. Comme dans le précédent panneau de *cassone*, l'histoire commence au centre (fig. 15), où Ulysse, entouré de ses compagnons d'armes, fait ses adieux à Pénélope, la tête coiffée d'un diadème et les bras croisés sur sa poitrine [4].

À droite, plusieurs indices attestent de l'imminence du départ : les voiles des bateaux sont gonflées et l'ancre levée – près des bateliers (fig. 16) [5]. À gauche, Pénélope est assise à son métier (fig. 17) ; elle tisse le suaire prévu pour son beau-père Laërte. C'est le seul stratagème qu'elle a trouvé pour faire patienter les prétendants qui veulent l'épouser : chaque soir, elle défait la tapisserie commencée, comme on le voit à l'arrière-plan.

Les correspondances dans l'œuvre de Guidoccio Cozzarelli

Guidoccio Cozzarelli a reçu en même temps commande de plusieurs coffres de mariage, dont un sur la *Légende de Clélie*, conservé au Metropolitan Museum de New York (fig. 18) [6].

La comparaison entre ce panneau de *cassone* et celui du musée révèle de nombreuses similitudes. La plus évidente concerne le groupe composé de Clélie et de la femme tenant un vase. Sur le panneau du musée, la scène est inversée et la position initiale de Clélie modifiée, puisque Pénélope ne regarde pas Ulysse. Par ailleurs, le peintre a supprimé le vase des mains de la jeune femme, mais le geste est resté le même. D'autres détails sont empruntés à la *Légende de Clélie*, tels que le grand vieillard barbu, une main posée sur sa poitrine, ou certains visages d'hommes, ou bien encore le château fortifié au bord de l'eau. Sur le panneau du musée, la ville qu'on aperçoit au loin est une vue contemporaine de Sienne, telle qu'on la représente sur les couvertures des *biccherne* (livres de gabelle)[7].

Ces quelques comparaisons permettent de mieux apprécier les méthodes de travail qu'utilise Guidoccio Cozzarelli. À partir de calques, il adapte et isole des motifs, comme celui de Clélie et de la femme au vase pour illustrer les adieux d'Ulysse et de Pénélope, ou bien comme celui de la flagellation, devenue la querelle entre Tarquin et Collatin.

Un thème, une date

Les parentés stylistiques et formelles avec les retables de Matteo de Giovanni – les *Flagellations* de 1463 et de 1472 – et les deux œuvres de Guidoccio Cozzarelli – la *Légende de Clélie* de 1480 et le *Martyre des apôtres Simon et Juda* de 1486 – nous permettent de placer l'exécution des *cassoni* entre 1480 et 1483, un peu

avant l'achèvement des fresques de la chapelle Sixtine réalisées par Botticelli et Pérugin. Deux autres événements historiques confortent cette hypothèse et nous conduisent à fournir une datation plus précise. Tout d'abord, entre 1481 et 1483, Guidoccio Cozzarelli succède à son père, alors maître charpentier au Duomo de Sienne, et exécute le décor de la coupole du Duomo[8]. Sa représentation sur le panneau de *cassone* serait peut-être l'indice de cette nouvelle prise de fonctions. Par ailleurs, entre 1478 et 1480, les Siennois sont engagés dans une guerre contre les Florentins dans l'espoir de conquérir des terres au moment où Florence se trouve affaiblie par la conjuration des Pazzi[9]. L'armée siennoise sera vite vaincue et un traité de paix est signé

LES CASSONI PEINTS DU MUSÉE NATIONAL DE LA RENAISSANCE

Fig. 17 (cat. 4)
Guidoccio Cozzarelli
Le Départ d'Ulysse,
détail : Pénélope filant.

Fig. 18
Guidoccio Cozzarelli
La Légende de Clélie, 1480
New York, The Metropolitan
Museum of Art, Frederick
C. Hewitt Fund 1911.

en 1480 [10]. Or le thème commun aux deux panneaux du musée est celui de l'absence d'un mari et de la fidélité de l'épouse [11].

De ces nombreux indices – la datation des *cassoni* vers 1480-1483, l'exaltation de la fidélité conjugale, la guerre contre Florence –, nous pouvons déduire que les panneaux ont été exécutés vers 1481 pour un couple siennois dont l'identification n'a pas encore été possible, malgré la présence d'un écu « à tête de Maure d'argent sur champ de gueules » qui est peint à quatre reprises sur le panneau d'Ulysse. De surcroît, la durée habituelle des tractations matrimoniales et la rapidité de la guerre entre Sienne et Florence – environ un an – nous conduisent à émettre une hypothèse audacieuse : le couple, peut-être déjà fiancé en 1479 avant le début du conflit, se serait finalement marié en 1481. À son retour, le fiancé aurait retrouvé sa promise, chaste et fidèle. En choisissant deux légendes où Pénélope et Lucrèce incarnent des héroïnes vertueuses, le mari aura voulu célébrer celle de son épouse. Vertu et fidélité sont en effet deux valeurs essentielles pour fonder un couple (ainsi celui de Collatin et Lucrèce). Cette leçon, si elle est suivie, garantit au couple une union

durable, quelle que soit la nature des épreuves comme le démontre l'histoire d'Ulysse et de Pénélope.

1. L'édition princeps de l'*Odyssée* en grec date de 1488 et celle traduite en italien paraît en 1581. Sur la culture grecque des Florentins au XVᵉ siècle, cf. G. Tanturli, « La Cultura fiorentina volgare del Quattrocento davanti ai nuovi testi greci », *Medioevo e rinascimento*, 1998, 2, p. 217-243. Selon l'étude de Christian Bec, *Les Livres florentins (1413-1608)*, Florence, 1984, les ouvrages grecs sont généralement lus dans une traduction latine ou vernaculaire, cf. les inventaires cités aux pages 31, 47, 131 et 143. Plus généralement, se reporter à l'appendice de R.R. Bolgar, *The Classical Heritage and its beneficiaries. From the Carolingian Age to the End of the Renaissance*, New York, 1991, p. 498-500.
2. Un *spalliere* (panneau de lit) intitulé le *Départ d'Ulysse pour Troie*, attribué au Maître d'Apollon et Daphné, a été mis en vente dernièrement par la galerie Sarti à Paris, cf. G. Sarti, *Trente-Trois Primitifs italiens de 1310 à 1500 : du sacré au profane*, Londres, 2000, cat. 33. Un autre exemple siennois peut être mentionné, celui de *Pénélope et les prétendants* que Pinturicchio (1454-1513) exécute en 1509. La fresque aujourd'hui détachée est conservée à la National Gallery de Londres.
3. Sur la fortune littéraire et iconographique du mythe d'Ulysse, se reporter à l'étude de M. Lorandi, *Il Mito di Ulisse nella pittura a fresco del 500'italiano*, Milan, 1995, p. 399-401.
4. Selon Homère, à son retour, seule Euryclée, sa fidèle nourrice, accueille Ulysse en cachette.
5. Dans l'autre *Départ d'Ulysse*, mis en vente dernièrement dans la galerie Sarti, Télémaque est encore un enfant aux côtés de Pénélope.
6. Frederick C. Hewitt Fund, 1911 n° 11.126.2; dimensions : 45,1 x 115,6 cm. Il est daté de 1480.

Cf. J. Pope-Hennessy et K. Christiansen, « Secular Painting in 15th-Centuries Tuscany : Birth Trays, Cassone, and Portraits », *The Metropolitan Museum of Art Bulletin*, 1980, été, p. 47-48, fig. 40-41. Une *Histoire de Camille* conservée au Philadelphia Museum of Art serait le pendant de ce panneau.
7. Par exemple celle de 1467 intitulée *La Vierge protégeant Sienne des tremblements de terre*, d'après un dessin de Francesco di Giorgio, est publiée dans *Storia di Siena. 1 : Dalle origini alla fine della repubblica*, éd. par R. Barzanti, G. Catoni, M. de Gregorio, Sienne, 1995. Plus généralement, cf. *Le Biccherne. Tavole dipinte delle magistrature senesi (secoli XIII-XVIII)*, sous la direction de L. Borgia, Rome, 1984.
8. Selon A. Padoa Rizzo, « Guidoccio Cozzarelli », dans *Dizionario*, p. 555, il y travaille entre 1481 et 1483 aux côtés de Bastiano di Francesco.
9. G. Cecchini, « La guerra della congiura dei Pazzi e l'andata di Lorenzo de'Medici a Napoli », *Bollettino Senese di Storia Patrici*, 1965, 72, p. 291-301.
10. *Le Biccherne*, 1984, p. 180 : « La chute de Colle Val d'Elsa »; M. Ginatempo, *Crisi di un territorio. Il popolamento delle toscano senese alla fine del Medioevo*, Florence, 1988, p. 333.
11. Les interprétations de la mort de Lucrèce sont nombreuses, cf. H. Galinsky, *Der Lucretia-Stoff in der Welt-Literatur*, Breslau, 1932, p. 47-82; S. H. Jed, *Chaste Thinking*, Bloomington, 1989; C. L. Baskins, *Cassone Painting, Humanism, and Gender in early Modern Italy*, Cambridge, 1998, p. 128-160. En revanche, les commentaires sont moins nombreux pour Pénélope, cf. G. Boccace, *De claris mulieribus*, XL, « Penelope, moglie di Ulisse »; Pétrarque, *Trionfi*, Trionfo della Pudicizia, IV, v. 130-135.

Cat. 5 et 6

Hersilie réconciliant les Romains et les Sabins
L'Entrée triomphale de Romulus et Tatius dans Rome

5

Hersilie réconciliant les Romains et les Sabins
E. Cl. 7502

Giovanni di ser Giovanni (Scheggia)
1455-1460
Bois de peuplier, débit sur dosse
43,5 x 123,3 x 3,8 cm

BIBLIOGRAPHIE
G. P. Campana, 1858, p. 21, n° 179;
E. Du Sommerard, 1883, n° 1707;
R. van Marle, 1928, p. 558-559, pl. 330;
R. Olsen, 1959, p. 71-72; De Schoutheete
de Tervarent, 1961, p. 64-77, fig. 1;
E. Callmann, 1976, p. 86; S. Tomasi Velli,
1991, p. 22; G. Hughes, 1997, p. 132;
C. L. Baskins, 1998, p. 103-127; L. Bellosi
et M. Haines, 1999, p. 79.

Hersilie la pacificatrice, d'après Plutarque

L'épisode où Hersilie parvient à réconcilier les Romains et les Sabins en guerre est extrait de la *Vie de Romulus*, le fameux fondateur de Rome[1], par Plutarque. Selon la légende, les Romains, soucieux d'assurer la descendance de leur peuple, enlèvent les Sabines au cours d'une fête religieuse[2]. En voulant défendre leurs femmes, certains Sabins trouvent la mort, tel Hostilius, l'époux d'Hersilie[3].

Les scènes de festivités et de rapt des Sabines ont souvent été représentées sur les coffres de mariage florentins[4]. En revanche, l'intervention pacificatrice d'Hersilie est assez rare. Sur d'autres représentations, Hersilie est peinte suppliant les belligérants à genoux et intervenant en faveur des Sabines pour sauver « leurs maris et leurs pères »[5]; on la voit aussi épousant, en secondes noces, Romulus, entourée des jeunes épouses sabines[6].

Les panneaux du musée et de Copenhague

Scheggia a privilégié une tout autre version pour les deux devants de coffres très semblables, conservés respectivement au musée d'Écouen (cat. 5) et au Statens Museum for Kunst à Copenhague[7]. Hersilie apparaît sous les traits d'une veuve respectable, comme le suggère le *bende*, ce voile qui lui entoure le bas du visage (sur le panneau du musée)[8]. Vêtue d'un manteau de parade doublé d'or et coiffée d'une couronne – uniquement sur le panneau du musée –, Hersilie possède tous les attributs d'une reine lorsqu'elle accueille Romulus et Tatius à son balcon pavoisé (Écouen) ou au seuil d'une porte de ville (Copenhague). Les deux chefs lui rendent hommage en lui offrant leurs bâtons de commandement (Écouen, fig. 19) ou leurs épées (Copenhague). L'attitude de Romulus et de Tatius est empreinte d'humilité : la tête nue, ils courbent le dos et fléchissent un genou. Le

caractère pacifique de cette rencontre est également renforcé par la présence de deux adolescents assis tranquillement sous le balcon (Écouen)[9].

À l'opposé de cette scène paisible, aux extrémités droite et gauche des deux panneaux, une armée belliqueuse s'éloigne. Certains chevaux sont cabrés ; un chien noir montre même les crocs sur le *cassone* du musée (fig. 20)[10]. Ces cavaliers tournent le dos à la scène de « réconciliation » de façon plus distincte sur le panneau de Copenhague. Une bannière avec la mention « SPQR » (*Senatus Populusque Romanus*) peinte en lettres d'or sur fond rouge marque la séparation entre le moment où les hommes partent au combat et celui où les cavaliers posent pied à terre et acceptent la paix d'Hersilie (au centre). Scheggia donne ainsi plus d'importance au rôle pacificateur d'Hersilie : la bannière revêt un sens nouveau en balisant symboliquement l'espace

où débute l'union politique des deux peuples aux portes de la cité[11].

1. Plutarque, *Vies*, Paris, 1957, t. 1, *Vie de Romulus*, 15 à 19. L'édition princeps en latin, *Campanus francisco Piccolominio Cardinali Senensi meo salutatem*, est imprimée par Udalrichus Gallus, Rome, 1470. L'exemplaire que nous avons consulté est conservé à Londres, British Library, C.1.d 1,2.
2. Dans l'*Histoire romaine*, I, 9-13, Tite-Live rapporte également cet épisode.
3. Plutarque, *Vie de Romulus*, 18, 6 ; Hersilie serait la seule femme mariée enlevée par les Romains, *Vie de Romulus*, 14, 7.
4. De nombreux exemples sont mentionnés dans l'étude de S. Tomaso Velli, « L'iconografia del "Ratto delle Sabine". Un'indagine storica », *Prospettiva. Rivista di storia dell'arte antica e moderna*, 1991, juillet, n° 63, p. 17-39, et plus récemment dans celle du panneau de la collection Harewood (West Yorkshire) que propose J. M. Musacchio, « The Rape of the Sabine Women on Quattrocento Marriage-panels », p. 66-82, dans T. Dean et J. P. Lowe, *Marriage in Italy, 1300-1650*, Cambridge, 1998 ; C. L. Baskins, *Cassone Painting*, 1998, p. 103-127.
5. La version la plus célèbre est celle qu'en donne Jacopo del Sellaio dans un *spalliere* conservé au Philadelphia Museum of Art.
6. Leeds, Harewood House ; ce panneau est attribué au Maître de Marradi.

7. Une autre version avec le triomphe de Romulus et Tatius et l'accueil d'Hersilie est signalée dans les collections du baron Lazzaroni à Paris par le chevalier De Schoutheete de Tervarent, « Quelques œuvres d'art dont l'inspiration est faussement attribuée à Virgile (XVᵉ et XVIᵉ siècles) », *Bulletin de la classe des Beaux-Arts (Bruxelles)*, 1961, 43, p. 1-4, fig. 5.
8. À Copenhague, il s'agit d'un manteau à capuchon. Sur le panneau de Copenhague, les garçons sont remplacés par trois chiens couchés aux pieds de Romulus et Tatius.
9. Plutôt que de voir dans les statues disposées dans les niches de part et d'autre d'Hersilie la reprise du motif des adolescents, comme le propose C.L. Baskins, *Cassone Painting*, 1998, p. 120, nous pensons que les héros insérés sont semblables à ceux peints sur une autre peinture attribuée à Scheggia (ou à son fils), *Les Vertus et les Arts libéraux*, conservée au Museu de Art de Catalunya de Barcelone.
10. Le noir est une couleur à connotation négative ; sur le panneau de Copenhague, seul un chien noir part dans la même direction que les cavaliers.
11. C.L. Baskins, *Cassone Painting*, 1998, p. 113, souligne à juste titre que Romains et Sabins ont adopté cet emblème, selon Tite-Live, *Histoire romaine*, 1, 13 et Plutarque, *Vie de Romulus*, 19, 9. En outre, elle note, p. 117 : « the centralized focus and bilateral symetry of the composition is the visual counterpart of the unification rhetoric employed by Livy and Plutarch ».

Fig. 19 (cat. 5), page 44
Giovanni di ser Giovanni (Scheggia)
Hersilie réconcilie les Romains et les Sabins,
détail : Hersilie accueille Romulus et Tatius.

Fig. 20 (cat. 5), page 45
Giovanni di ser Giovanni (Scheggia)
Hersilie réconcilie les Romains et les Sabins,
détail : les cavaliers belliqueux.

LES CASSONI PEINTS DU MUSÉE NATIONAL DE LA RENAISSANCE

6

L'Entrée triomphale de Romulus et de Tatius dans Rome
E. Cl. 7509

Giovanni di ser Giovanni (Scheggia)
et atelier, 1455-1460
Bois de peuplier, débit sur dosse
47,7 x 132,2 x 3,8 cm

Bibliographie

G. P. Campana, 1858, p. 21, n° 177;
E. Du Sommerard, 1883, n° 1714;
P. Schubring, 1915, p. 250, n° 128, pl. 25;
R. Olsen, 1959, p. 71-72; De Schoutheete
de Tervarent, 1961, p. 64-77, fig. 2;
E. Callmann, 1976, p. 86; S. Tomasi Velli,
1991, p. 22; G. Hughes, 1997, p. 157;
C. L. Baskins, 1998, p. 103-127; L. Bellosi
et M. Haines, 1999, p. 79.

L'Entrée triomphale de Romulus et de Tatius

La surface picturale est très endommagée, ce qui n'en facilite pas la lecture. Scheggia a peint l'entrée triomphale des héros sur leurs chars tirés par deux destriers blancs[1], assis ou debout sous un dais et entourés de soldats et de valets de pied. Il s'agit d'une image topique du triomphe à l'antique, telle qu'elle figure habituellement sur de nombreux coffres de mariage[2]. Les intentions pacifiques des Romains et des Sabins sont néanmoins manifestes: aucun homme ne porte d'armes (lances ou épées), mais des branches fraîchement élaguées[3]. D'autre part, à la place des vaincus, des offrandes – à droite, un chariot rempli de vaisselle; à gauche du bétail – précèdent Romulus et Tatius. Ces derniers entrent à Rome, dont les armes «SPQR» sont peintes au-dessus de la porte. Il est un autre indice pacifique particulièrement significatif: le bâton de commandement. Habituellement insigne distinctif du pouvoir militaire, il est ici détourné de sa fonction pour guider le bétail vers l'entrée.

Le geste du jeune domestique au premier plan, à gauche, demeure plus énigmatique. Il baisse l'une de ses chausses mi-partie blanc et noir et semble ôter celle de son pied gauche. La place qu'occupe cet adolescent et l'incongruité de sa posture ont indéniablement un sens.

Fig. 21
Giovanni di ser Giovanni
(Scheggia)
*Les Triumvirs interrogeant
l'oracle*, milieu XVᵉ siècle
Florence, Palazzo Davanzati.

En l'état actuel, seules quelques hypothèses peuvent être avancées : il peut s'agit d'illustrer un proverbe – comme celui actuel de « trouver chaussure à son pied » ? – ou de rappeler un fait marquant pour les époux. Plus probablement, le valet qui ôte son vêtement héraldique (ses chausses) et guerrier devient un homme libre ou libéré de ses obligations militaires[4].

Plusieurs motifs – emprunts ou remplois – confortent l'attribution de cette peinture à Scheggia. Par exemple, certains chevaux sont semblables à ceux peints sur trois panneaux de Scheggia réunis sur le thème du triomphe de généraux romains[5]. Le cheval gris au centre du *cassone* du musée est le même que celui à

Fig. 22
Giovanni di ser Giovanni
(Scheggia),
*Triomphe d'un jeune général
romain debout,*
West Palm Beach, Norton
Museum of Fine Arts.

robe noire dans les *Triumvirs interrogeant
l'oracle* du Palazzo Davanzati à Florence
(fig. 21). Les harnachements sur le poitrail
sont identiques, seuls diffèrent les rênes et la
partie frontale du filet. De même, le cheval blanc
tirant le char de gauche dans le panneau du
musée apparaît à deux reprises, dans le *Triomphe
d'un jeune général romain assis* du Norton
Museum of Art de West Palm Beach et dans
les *Triumvirs interrogeant l'oracle*. D'autres
rapprochements sont aussi flagrants : à gauche,
la posture de l'homme qui tient un bâton – que
Romulus désigne de sa main – est identique à
celle du jeune général debout dans le *Triomphe
d'un jeune général romain debout* du
musée de West Palm Beach (fig. 22). De même,
les deux bovins – dont l'un a une queue en
demi-cercle – qui figurent près de l'entrée de la
ville sur le panneau du musée, sont identiques
à ceux peints près du bord droit des panneaux
de West Palm Beach.

Attribution et datation
La qualité d'exécution des trois triomphes de
généraux romains et les différences stylistiques
évidentes entre ce panneau et celui d'*Hersilie
réconciliant les Romains et les Sabins* laissent
à penser que Scheggia a confié à son atelier le
soin de réaliser le *L'Entrée triomphale de
Romulus et Tatius*. Considérés par Luciano
Bellosi et Margaret Haines comme une œuvre
de la maturité de Scheggia, les panneaux du
musée, d'une facture inégale, sont certainement
plus tardifs que ceux conservés au musée de
Copenhague, d'une remarquable qualité [6].

Hersilie, une Sabine exemplaire,
au service de la paix
Contrairement à la scène de l'enlèvement des
Sabines, l'intervention héroïque d'Hersilie a
donné lieu à un petit nombre d'interprétations [7].
Dernièrement, Cristelle Baskins a proposé une
autre interprétation du panneau du musée [8] :

selon elle, le rapt et le mariage forcé constituent
traditionnellement les rites fondateurs de la
cité, favorisant son organisation sociale. Or
Hersilie renverse les rôles, puisqu'elle parvient
à soumettre les hommes à son autorité [9].
L'historienne de l'art en déduit : « l'union désirée
entre les Sabins et les Romains et la fondation
d'une cité ne peuvent s'accomplir que grâce aux
corps des Sabines [10] ». Aussi, les Florentins qui
disent appartenir à la « race des Romains » selon
un mot du célèbre humaniste florentin du
XVe siècle, Leonardo Bruni, trouveraient dans
cette légende la caution de leur politique expan-
sionniste [11].

Néanmoins, cette lecture ne prend pas en
compte le rôle déterminant et central que tient
Hersilie, ni l'impact de la reddition des troupes
de Romulus et de Tatius figurée sur le second
panneau. Le lieu où se trouvent Hersilie et les
Sabines – une fenêtre au musée ou une porte à
Copenhague – est significatif : elles interdisent

symboliquement l'accès à la ville en refusant le conflit armé [12]. Les Sabines n'acceptent le retour des hommes que lorsque la guerre est terminée et les armes déposées. Une fois la paix conclue entre Romains et Sabins, le retour de la prospérité dans la cité est garanti (des troupeaux et de la vaisselle précieuse sont apportés en présents). On remarquera, en outre, que les Sabines sont absentes du second panneau, alors que dans le texte de Plutarque, elles accueillent leurs époux et leurs pères. Au contraire, l'accent est mis sur l'entrée triomphale de Romulus et de Tatius, tant au musée qu'à Copenhague.

Dans ce contexte, Hersilie ne peut pas incarner l'épouse rebelle à toute autorité masculine, comme le suggère Cristelle Baskins. Comme Hersilie est peinte sous les traits d'une veuve ou d'une matrone, l'accent est plutôt mis sur son rôle de femme mûre, sage conseillère. D'ailleurs, sur le panneau du musée, la différence d'âge avec Romulus et Tatius est manifeste [13].

Eu égard aux pratiques florentines et au contexte matrimonial, l'histoire d'Hersilie rendrait plutôt hommage à une certaine partie de la population florentine, celle des veuves courageuses à qui incombe la tâche délicate de remplacer le chef de famille décédé. Il leur revient de trouver un bon parti à leurs enfants et de veiller à la continuité du lignage [14]. Dans l'histoire d'Hersilie, telle qu'elle a été représentée par Scheggia sur les panneaux du musée et de Copenhague, notre héroïne parvient avec succès à unir deux lignages pour le bien de la cité et des deux clans [15].

1. Les « haquenées » blanches sont habituellement les chevaux montés par la mariée, cf. D. Herlihy et C. Klapisch-Zuber, *Les Toscans*, *op. cit.*, p. 593 ; C. Klapisch-Zuber, *La Maison et le nom*, *op. cit.*, p. 161.
2. Pour ne citer que ceux attribués à Scheggia, se reporter au catalogue de L. Bellosi et M. Haines, *Lo Scheggia*, 1999.
3. Les étendards ont également une forme différente de celle du premier panneau, avec un bord en forme de languettes.
4. Cette suggestion des chausses, attributs du guerrier, est de Christiane Klapisch-Zuber.
5. Il existait quatre panneaux ; seuls trois sont localisés : le premier intitulé *Triumvirs interrogeant l'oracle* est conservé à Florence, au Palazzo Davanzati ; le deuxième, un *Triomphe d'un jeune général romain assis*, était autrefois localisé à Los Angeles, au County Museum, il est actuellement à la Norton Gallery ; le troisième, un *Triomphe d'un jeune général romain debout*, est également conservé à West Palm Beach, à la Norton Gallery. Cf. L. Bellosi et M. Haines, *Lo Scheggia*, 1999, respectivement p. 82, 87 et 98.
6. *Ibid.*, p. 82. L. Cavazzani, *Il fratello di Masaccio. Giovanni di ser Giovanni detto Scheggia. Mostra, San Giovanni Valdarno, 14 febbraio-16 maggio 1999*, Sienne, Florence, 1999, p. 54-55, date la série des généraux d'après 1449.
7. S. Tomasi Velli, « L'iconografia del "Ratto delle Sabine" », p. 17-39 ; J. M. Musacchio, « The Rape of the Sabine », 1998, p. 66-82, pour ne citer que les recherches les plus récentes.
8. C. L. Baskins, *Cassone Painting*, 1998, p. 103-127.
9. *Ibid.*, p. 104.
10. *Ibid.*, p. 119. Selon l'auteur, les hommes soumettraient leur pouvoir sexuel (symbolisé par leurs bâtons phalliques) à celui des femmes. En outre, l'un des deux jeunes garçons en dessous d'Hersilie se livrerait à des attouchements – ce qu'un examen attentif rend peu probable ; nous pensons plutôt que la main du jeune homme repose à terre et qu'il s'agit davantage d'une maladresse d'exécution. Pour C. L. Baskins, cette attitude irrévérencieuse pendant le discours d'Hersilie serait une provocation et exprimerait un rejet de l'autorité.
11. *Ibid.*, p. 107 et 127.
12. D'ailleurs, sur le panneau de Copenhague, une large brèche a été pratiquée à cet endroit.
13. Sur le panneau de Copenhague, Romulus et Tatius n'ont pas le même âge. Ces variantes sont peut-être dues à l'intervention des différents peintres de l'atelier de Scheggia.
14. Sur la place des veuves dans la société florentine, cf. D. Herlihy et C. Klapisch-Zuber, *Les Toscans*, *op. cit.*, p. 610-611. L'exemple le plus célèbre d'une mère soucieuse de trouver une bonne épouse pour ses fils bannis de Florence est celui d'Alessandra Macinghi degli Strozzi. Cf. C. M. de la Roncière, « L'exil de Filippo et Lorenzo di Matteo Strozzi d'après les lettres de Monna Alessandra Macinghi negli Strozzi leur mère (1441-1446) », p. 67-93, dans *Exil et civilisation en Italie (XIIe- XVIe siècles)*, études réunies par J. Heers et C. Bec, Nancy, 1990.
15. Cf. Plutarque, *Vie de Romulus*, 19, 8: « Les femmes présentaient leurs maris et leurs enfants à leurs pères et à leurs frères […] elles montraient aussi qu'elles étaient maîtresses dans leurs ménages, que leurs maris avaient des attentions pour elles et les traitaient avec honneur et affection. »

Tiberius Gracchus et Cornélie
Histoire non identifiée

7

Tiberius Gracchus et Cornélie
E. Cl. 1745

Giovanni di ser Giovanni (Scheggia)
et atelier, 1465-1470
Bois de peuplier, débit sur dosse
45 x 174,7 x 1,8 cm

HISTORIQUE
Acheté à A. Jacob Aîné en 1849 pour le
musée des Thermes et de l'hôtel de Cluny.

BIBLIOGRAPHIE
E. Du Sommerard, 1883, n° 1684 ;
P. Schubring, 1915, p. 285, n° 294, pl. 70 ;
R. van Marle, 1924-1938, t. XI, p. 238 ;
R. Longhi, 1940 (reprint 1975), p. 58 ;
Primitifs italiens, 1956 ; J. Marette, 1967,
p. 239, n° 597 ; A. Chastel, 1978, t. 1,
p. 500, ill. 207 ; C. L. Baskins, 1989 ;
L. Bellosi et M. Haines, 1999, p. 79.

Les Vies parallèles de Plutarque :
un texte jusqu'alors méconnu

Attribuée à l'atelier de Scheggia, cette histoire tirée de Plutarque est rarement représentée à la Renaissance[1]. Le texte même des *Vies parallèles* était jusqu'alors peu connu, avant sa première traduction du grec en aragonais réalisée entre 1384 et 1388[2]. Pourtant, dès son impression, tous les humanistes se sont empressés d'en posséder une copie[3]. À Florence, l'émulation est vive : Coluccio Salutati invite l'érudit Chrysoloras et son disciple, Jacopo Angeli, pour enseigner le grec dans son cercle et favoriser la traduction des *Vies* en latin[4]. Durant un demi-siècle, plusieurs humanistes tels que Leonardo Bruni, Guarino Veronese, Donato Acciaiuoli ou Francesco Barbaro œuvrent pour cette entreprise ambitieuse. Chaque traduction est prétexte à une dédicace : Cosimo de'Medici, le pape Eugène IV, le cardinal Orsini sont quelques-uns de ces destinataires prestigieux[5]. Le texte des *Vies* reste connu d'une élite[6] et c'est seulement en 1470 qu'une édition paraît à Rome réunissant pour la première fois l'intégrale en latin des *Vies*, jusqu'alors connues par fragments[7]. L'épisode qui nous occupe prend place au début du Livre des Gracques[8].

L'histoire de Tibère et Cornélie
selon Scheggia

L'histoire des époux Tibère et Cornélie occupe la totalité du panneau du musée[9]. La composition de l'image est assez traditionnelle : l'espace divisé en trois parties se lit de gauche

Fig. 23 (cat. 7), page 52
Giovanni di ser Giovanni
(Scheggia) et atelier
Tiberius Gracchus et Cornélie,
détail: Cornélie quitte
la maison paternelle au bras
de son époux.

Fig. 24 (cat. 7), page 53
Giovanni di ser Giovanni
(Scheggia) et atelier
Tiberius Gracchus et Cornélie,
détail: deux femmes et leurs
pages.

à droite. Dans le tiers gauche, plusieurs indices permettent d'identifier une représentation de la *domumductio*, le moment où l'épouse quitte la maison paternelle pour celle de son époux (fig. 23). Plutarque lui-même mentionne que Tibère avait été « jugé digne d'épouser Cornélie » [10]. D'abord, derrière Cornélie, une servante sort de la maison avec le trousseau dans un baluchon posé sur son épaule gauche [11]. Ensuite, au premier plan, un homme ventru et barbu affiche un air satisfait, les mains posées sur les hanches. Il porte une large ceinture dorée, ainsi qu'une bourse de cuir noir. Ce personnage important est probablement le *mezzano* appelé aussi *sensale*, un courtier dont le métier est de favoriser le premier contact entre les deux familles [12]. Enfin, à gauche, la présence d'un

autel avec la statue de Cupidon tenant une sphère confirme que les noces sont récentes. L'attitude du couple donne à cette *domumductio* le caractère conventionnel qui sied: le visage de Cornélie exprime la retenue – son regard est baissé et ses joues teintées de rose –, tandis que Tibère salue Cornélie, paume levée. Dans l'un des écoinçons, l'emplacement qu'occupe l'aigle aux ailes éployées, juste au-dessus du couple, fait peut-être référence aux armes du commanditaire [13].

Entre le premier et le deuxième épisode, des personnages créent un lien iconographique (fig. 24): deux femmes discutent, suivies par deux pages et deux chiens. À leur droite, un homme, le corps masqué derrière une colonne, pénètre dans la loggia centrale. À l'arrière de ce groupe, deux cavaliers, un faucon au poing,

quittent la ville pour aller à la chasse, en compagnie de leurs valets de pied et de leurs chiens tenus en laisse.

Au centre, le deuxième épisode a pour cadre une belle loggia aux colonnes de marbre (fig. 25). Son architecture rappelle celle, fameuse, de la Piazza della Signoria à Florence [14]. Sous l'arcade, un juge assis sur un trône fait face au spectateur [15]. Entouré de ses assesseurs, il écoute le récit de Tibère. Selon la version qu'en donne Plutarque, Tibère aurait trouvé sur le lit matrimonial un couple de serpents dont il ne parvient pas à se débarrasser. Les époux consultent les devins « qui déclarèrent, quant au choix de l'un ou de l'autre, que, si l'on tuait le serpent mâle, cela provoquerait la mort de Tibère, et la femelle, celle de Cornélie [16] ». Sur le panneau, les deux

Fig. 25 (cat. 7), page 54
Giovanni di ser Giovanni
(Scheggia) et atelier
Tiberius Gracchus et Cornélie,
détail : le juge écoute le récit
de Tibère.

Fig. 26 (cat. 7), page 55
Giovanni di ser Giovanni
(Scheggia) et atelier
Tiberius Gracchus et Cornélie,
détail : Tibère et Cornélie
suivis par les deux serpents.

serpents sont bien visibles au centre de la loggia. À droite, trois hommes attentifs au récit de Tibère expriment leur perplexité face à un tel prodige.

Comme précédemment, plusieurs personnages assurent le lien entre la scène centrale et celle de droite (fig. 26). Ils invitent le couple à entrer dans une maison. Les deux serpents suivent toujours Tibère et Cornélie. Derrière le couple, la colonne Trajane, à Rome, est placée près d'une église florentine, peut-être San Miniato ou Santa Maria Novella[17]. Scheggia, avec son atelier, a recours au même procédé que Guidoccio Cozzarelli sur le panneau de Lucrèce : la colonne Trajane a ici pour fonction de signifier que les héros sont Romains.

L'issue de l'histoire est racontée par Plutarque : « Tibère, qui aimait sa femme et jugeait que c'était plutôt à lui, plus âgé, de mourir, alors qu'elle était encore jeune, tua le serpent mâle et lâcha la femelle ; il mourut peu de temps après, en laissant douze enfants qu'il avait eus de Cornélie[18]. » La place fait ici défaut au peintre. Aussi, les deux scènes sont représentées simultanément : à gauche, Tibère montre du doigt le serpent qu'il a tué – l'un des deux serpents est sanglant ; à droite, il trouve la mort (fig. 27), pendant que Cornélie, éplorée, se précipite vers son époux. La présence des trois vieillards barbus est plus énigmatique, probablement des sages venus constater le prodige[19].

1. Sauf dans des cycles d'hommes et de femmes célèbres. La plus célèbre série – dite cycle « Piccolomini », attribué au Maître de Griselda (1497-1498) – se compose de sept panneaux. Cf. L. B. Kanter, « Rethinking the Griselda Master », *Gazette des beaux-arts*, 2000, février, p. 147-156 et plus généralement, V. Tatrai, « Il Maestro della Storia di Griselda e una famiglia senese di mecenati dimenticata », *Acta Historiae Artium, Academiae Scientiarum Hungaricae*, 1979, 25, p. 27-66. Sur ce thème, une peinture à l'huile attribuée à Van Haarlem Cornelisz (XVIe siècle) est répertoriée au musée des Beaux-Arts de Troyes, inv. 850.1.10.
2. Elle est due à Don Juan Fernandez de Heredia, lors d'un séjour à Avignon. Cf. M. Ceccanti, « Un inedito Plutarco laurenziano con note per il miniatore », *Rivista di storia della miniatura*, 1996-

1997, 1-2, p. 69-76. C. Mitchell, *A Fifteenth Century Italian Plutarch (British Museum Add. Ms. 22318)*, Londres, 1961, p. 7.
3. Outre Milan et Vérone, plusieurs manuscrits sont enluminés, comme à Ferrare, cf. F. Lollini, « Le *Vite* di Plutarco alla Malatestiana (S. XV.1, S. XV.2, S. XVII.3). Proposte ed osservazioni per il periodo di transizione tra Tardogotico e Rinascimento nella miniatura settentrionale », dans *Libreria Domini. I manoscriti della Biblioteca Malatestiana: testi e decorazioni*, sous la direction de F. Lollini et P. Lucchi, Bologne, 1995, p. 189-224.
4. V. R. Giustiniani, « Sulle traduzioni latine delle *Vite* di Plutarco nel Quattrocento », *Rinascimento, rivista dell'Istituto Nazionale di Studi sul Rinascimento*, 1961, 1, p. 3-62.
5. F. Lollini, « Le *Vite* di Plutarco », Bologne, 1995, p. 203-204, mentionne les différentes mains.
6. Comme le prouvent les inventaires, cf. C. Bec, *Les Livres florentins, op. cit.*, p. 99, tableau 43 : 25 ouvrages de Plutarque entre 1467 et 1520, contre aucun entre 1413 et 1453. Plus généralement, cf. R. R. Bolgar, *The Classical Heritage*, New York, 1991, App. I, p. 485-486.
7. *Ibid.*, p. 523 : l'édition complète des *Vitae* paraît chez Jaconello da Rieti : *Vite de Plutarcho traducte de latino in vulgare in Aquila al magnifico Lodovicho torto par Baptista Alexandro Iaconello de Riete* [Londres, British Library, C.1.C.7].
8. Plutarque, *Vies parallèles, Tiberius Gracchus*, 1, 1-5. On doit sa première traduction à Leonardo Bruni, vers 1410. Il ne comportait à l'origine aucune dédicace ; cf. V .R. Giustiniani, *op. cit.*, 1961, p. 28-29.
9. Le cadre en bois a été ajouté postérieurement et masque légèrement chaque extrémité.
10. Plutarque, *Vies parallèles, Tiberius Gracchus*, 1, 1-3.
11. Sur le rite de la *domumductio*, voir *supra*, p. 14. Cette image de la servante qui figure sur plusieurs coffres de mariage décorés de l'*Histoire de Trajan*, cf. C. Klapisch-Zuber, *Les Noces feintes*, 1995, p. 11-30.
12. Cf. deux extraits du *Catasto* (1451 et 1480) : « *Sono sanza bottegha o inviamento, se non che io mi sono dato a ffare senserie di donne e di fanciulle, che nne fo sì pochi di matrimoni* » ou « *Barbiere per lo adrieto, ogi è sensale di matrimoni* », dans E. Conti, A. Guidotti et F. Lunardi, *La civiltà fiorentina del Quattrocento*, Florence, 1993, p. 64. Plus généralement, voir G. Pampaloni, « Le Nozze », dans *Vita privata a Firenze nei secoli XIV e XV*, Florence, 1966, p. 42 ; C. Klapisch-Zuber et D. Herlihy, *Les Toscans*, 1978, p. 589.
13. Pour étayer notre hypothèse, on notera que de l'autre côté, des figures de chérubins occupent les écoinçons. Ils jouent peut-être un rôle décoratif, à moins que ces anges ne soient à mettre en relation avec la mort de Tibère.
14. On peut en voir l'illustration dans le Codex Rustici ou sur les plans dit de « la catena » de la ville de Florence. Comme me l'a fort justement souligné Christiane Klapisch-Zuber, cette voûte à caissons évoque également celle de La *Trinité* de Masaccio, frère de Scheggia.
15. La représentation d'un personnage assis sur

un trône est courante dans l'œuvre de Scheggia : cf. L. Bellosi et M. Haines, *Scheggia*, 1999, p. 82 : *Les triumvirs interrogeant l'oracle*, Florence, Palazzo Davanzati et p. 83 et 84 : Les *Histoires de Trajan*, coll. privées.
16. Plutarque, *Vies parallèles, Tiberius Gracchus*, 1, 4.
17. La façade de Santa Maria Novella a été terminée en 1470. Je remercie Christiane Klapisch-Zuber de m'avoir fait cette suggestion.
18. Plutarque, *Vies parallèles, Tiberius Gracchus*, 1, 5.
19. Cf. l'Aristote du *Trionfo delle amore* ou ceux qui accompagnent le *Trionfo della fama* sur des panneaux de devant de *Trionfi* (1468) conservés à la Biblioteca Civica de Trieste.

Fig. 27 (cat. 7)
Giovanni di ser Giovanni
(Scheggia) et atelier
Tiberius Gracchus et Cornélie,
détail : la mort de Tibère.

8

Histoire non identifiée
E. Cl. 1744

Giovanni di ser Giovanni (Scheggia)
et atelier, 1465-1470
Bois de peuplier, débit sur dosse
45 x 174,7 x 1,5 cm

HISTORIQUE
Acheté à A. Jacob Aîné en 1849.

BIBLIOGRAPHIE
E. Du Sommerard, 1883, n° 1683 ;
P. Schubring, 1915, p. 285-286, n° 295,
pl. 70 ; R. van Marle, 1924-1938, t. XI,
p. 238 ; R. Longhi, 1940 (reprint 1975),
p. 58 ; *Les Primitifs italiens*, 1956 ;
J. Marette, 1967, p. 239, n° 597 ;
C. L. Baskins, 1989 ; L. Bellosi et
M. Haines, 1999, p. 80.

En 1915, Paul Schubring est l'un des premiers auteurs à rapprocher ce panneau d'un épisode de l'une des *Vies parallèles* de Plutarque, « Antiochos et Stratonice »[1]. Séleucos aurait épousé Stratonice, fille du roi Ptolémée. Né d'un premier mariage, son fils Antiochos s'éprend de sa belle-mère. Comme cette passion l'emplit d'effroi, il tombe gravement malade pour éviter de tromper son père. Convoqué à son chevet, Érasistrate, son médecin, découvre rapidement la cause mystérieuse du mal d'Antiochos. Chaque fois que sa belle-mère lui rend visite, le jeune homme s'anime et reprend vie. Érasistrate explique alors au roi Séleucos qu'il doit renoncer à Stratonice et la donner pour épouse à Antiochos, afin de sauver son fils. Le roi, touché d'une telle piété filiale, accepte et célèbre les noces d'Antiochos et Stratonice[2].

Cette source a été récemment remise en cause[3], comme le confirme la comparaison de l'image avec le texte. De même que sur le panneau de *Tiberius Gracchus et Cornélie*, plusieurs personnages se déplacent de la gauche vers la droite, indiquant le sens de lecture. La première scène a pour cadre une chambre (fig. 28). Un roi est alité ; debout, à ses côtés, une jeune femme vêtue d'un manteau brun brodé d'or lui tend la main. À son chevet, deux médecins observent ses urines dans un flacon

Fig. 28 (cat. 8)
Giovanni di ser Giovanni
(**Scheggia**) et atelier
Histoire non identifiée,
détail : personnage alité.

LES CASSONI PEINTS DU MUSÉE NATIONAL DE LA RENAISSANCE

Fig. 29 (cat. 8), page 60
   Giovanni di ser Giovanni
   (Scheggia) et atelier
   Histoire non identifiée,
   détail : couple en prière.

Fig. 30 (cat. 8), page 61
   Giovanni di ser Giovanni
   (Scheggia) et atelier
   Histoire non identifiée,
   détail : le jugement.

de verre, qu'un des savants sort d'un panier en osier. À leurs côtés, un soldat et un moine (?) attendent leur diagnostic. Comme nous avons pu l'observer sur d'autres panneaux, plusieurs personnages favorisent le passage d'une scène à l'autre : ici, ils sortent de la chambre pour se rendre dans un temple. Au pied de l'autel, un homme barbu et la jeune femme de l'épisode précédent prient, agenouillés devant les statues de divinités païennes (fig. 29).

Au centre du panneau (fig. 30), dans une grande salle dont le vaisseau central est charpenté et les bas-côtés voûtés en berceau, le même homme barbu s'adresse à trois juges en désignant la jeune femme. Celle-ci, de dos, semble également leur adresser une requête. La position des juges n'est pas sans évoquer d'autres panneaux de *cassone* attribués à Giovanni di ser Giovanni, tel que celui des *Triumvirs interrogeant l'oracle* (fig. 21), celui de la *Justice de Trajan* ou des retables de la *Vierge et l'Enfant*[4]. La fin de cette histoire a pour cadre les arcades d'une maison (fig. 31). Un jeune homme gît à terre, la tête posée sur un banc, les yeux clos et le teint verdâtre. Tout paraît indiquer qu'il est mort. Près de lui, un médecin ou un sage se tient la joue gauche et montre le corps inanimé. À ses côtés, un autre homme barbu (un juge ?) montre d'un geste la scène à la jeune femme. Il paraît peu probable qu'elle soit la cause du décès, dans la mesure où aucun des spectateurs ne l'accuse et qu'elle-même tourne le dos au jeune homme sans vraiment s'en soucier.

À défaut d'avoir identifié la source de cette histoire, nous pouvons ajouter quelques commentaires à cette description. Tout d'abord, la composition des deux panneaux de *cassone* est identique : les épisodes au début et à la fin se déroulent devant (ou à l'intérieur d') une maison, alors que la scène centrale a lieu en présence de juges. D'autre part, l'issue des deux histoires est identique : un homme trouve la mort, tandis que la jeune femme reste en vie.

Sur chacun des panneaux, certains indices favorisent l'identification du pays d'origine des héros – l'Italie –, telle la colonne Trajane dans l'histoire de *Tiberius Gracchus et Cornélie* (cat. 7, p. 50). Sur le second panneau, les héros arborent des costumes « romains », à l'exception des Sages (ou Mages) qui portent des coiffes de Mèdes ou de Perses[5]. De même, l'église située entre le temple et la « loggia des juges » est, à n'en pas douter, un édifice toscan (fig. 30)[6].

Dans un contexte matrimonial, l'histoire de Tibère et Cornélie prend tout son sens : quel plus beau geste que celui d'un époux prêt à se sacrifier pour la mère de ses enfants ? Cornélie incarne depuis l'Antiquité la figure de la veuve vertueuse qui a su éduquer seule ses enfants et les mener vers une carrière politique brillante[7]. Les commentateurs ont également souligné qu'elle est restée fidèle à son époux et ne s'est jamais remariée[8]. Autant d'éléments qui permettent d'apprécier la teneur du message adressée à l'épouse destinataire de ces deux *cassoni*.

1. P. Schubring, *Cassoni*, 1915, p. 285-286.
2. Plutarque, *Vies parallèles*, Démétrios, XIII, 38, 1-12.
3. L. Bellosi et M. Haines, *Scheggia*, 1999, p. 80.
4. *Ibid.*, cf. notices du catalogue, p. 74-98. Pour ces exemples de *Vierge et l'Enfant*, se reporter à ceux conservés à Londres et dans l'ancienne collection Volterra de Florence.
5. Suggestions des étudiants du séminaire de Christiane Klapisch-Zuber, EHESS, Paris, 28 mars 2001.
6. Sur sa façade décorée de marbre blanc et noir figurent des paons de part et d'autre de l'oculus. Attributs de Junon, les paons sont également couramment employés dans l'art byzantin.
7. Ses fils sont les célèbres Gracques. Plus généralement, se reporter à l'étude transversale de F. Le Corsu, *Plutarque et les femmes dans les Vies parallèles*, Paris, Les Belles Lettres, 1981, p. 109-115.
8. Cornélie figure souvent dans des cycles de femmes et d'hommes célèbres pour leur vertu, comme dans celui dit « Piccolomini », cf. *Laurence B. Kanter, "Rethinking the Griselda Master"*, Gazette des beaux-arts, 2000, février, p. 147-156.

Fig. 31 (cat. 8)
   Giovanni di ser Giovanni
   (Scheggia) et atelier
   Histoire non identifiée,
   détail : la mort du jeune
   homme.

II

Une paire incomplète

Cat. 9 et 10

Les Adieux d'Achille et Briséis
Briséis devant Agamemnon

École ombrienne, fin du XVe siècle
Bois de peuplier, débit sur dosse
et faux quartier
E. Cl. 7499 (cat. 9) : 31,4 x 63,3 x 0,10 cm
E. Cl. 7498 (cat. 10) : 31,3 x 63,5 x 0,10 cm

BIBLIOGRAPHIE
G. P. Campana, 1858, p. 19, nos 164 et 165 ;
E. Du Sommerard, 1883, nos 1703 et 1704 ;
P. Schubring, 1915, p. 341, nos 504-505,
506-511, pl. 117-118 ; P. Todini, 1989,
p. 242 ; E. Lunghi, 1993, p. 44 ; G. Hughes,
1997, p. 95.

Ces deux peintures appartiennent à un ensemble plus important comportant huit panneaux répartis sur deux *cassoni*. Nous en connaissons l'existence d'après le dessin qu'en a fait J. A. Ramboux (fig. 43 a, b, c, d) vers 1830, alors que les meubles se trouvaient dans le Palazzo Corbiniani à Gubbio[1]. Selon la description qu'en donne Paul Schubring en 1915[2], les panneaux du musée étaient fixés sur le devant d'un des deux coffres de mariage et se trouvaient disposés avec six autres panneaux (voir l'hypothèse de la reconstitution des coffres, tableaux p. 66).

Les deux panneaux du musée sont mentionnés seuls en 1858 dans l'inventaire du marquis de Campana[3]. Ils entrent ensuite dans les collections du musée de Cluny[4], tandis que les autres suivent un chemin différent : ceux qui proviennent du coffre n° 1 font partie d'une vente de la Maison d'art à Monaco en 1989[5] ; les quatre restants (les petits côtés) n'ont pas été localisés à ce jour.

Chaque scène est agrémentée d'inscriptions qui permettent d'identifier les héros principaux[6]. Les épisodes des panneaux conservés au musée

sont extraits du chant I de l'*Iliade* d'Homère[7]. Rarement représentée dans l'art mobilier, l'histoire d'Achille et Briséis est plus connue sous sa forme romancée des *Amours de Troilus et Criseida*, un texte très populaire au Moyen Âge[8]. Une édition latine de l'*Iliade*, contemporaine de l'exécution des *cassoni*, paraît également en 1474[9].

Le *Jugement de Pâris*[10] et l'*Enlèvement d'Hélène* sont au contraire fréquemment représentés au XVe siècle[11], en particulier sur des coffres de mariage florentins, mais aussi sur de nombreux plateaux d'accouchée et sur des plats de majolique[12].

L'histoire de Briséis et d'Achille occupe une large place sur ces différents panneaux de coffres. Achille et Briséis sont tendrement enlacés près d'une cascade, pour un dernier adieu avant le départ de Briséis (cat. 9). Étrangement, le nom

de *BRISEIDA* a été sculpté derrière la tête de la jeune femme sur une pierre qui a la forme d'une dalle funéraire.

À droite, Eurybatès et Talthybius attendent Briséis pour la conduire auprès d'Agamemnon. Ulysse, le messager du roi, n'apparaît que sur le second panneau[13]. Le peintre a préféré privilégier les deux « hérauts et diligents écuyers », Eurybatès et Talthybius[14], et le cheval cabré qui occupe la moitié droite du panneau. Son emplacement et sa posture nous paraissent être lourds de sens, d'autant qu'Eurybatès s'apprête à le frapper à l'aide de verges (?) qu'il tient de la main droite. La fureur du cheval pourrait symboliser le refus d'Achille d'obtempérer aux ordres d'Agamemnon.

Sur le second panneau (cat. 10), Ulysse, suivi d'un soldat (qu'aucune inscription n'identifie), conduit la jeune femme vers le roi Agamemnon.

Ce dernier accueille Briséis assis sur son trône et lui tient la main, tandis qu'elle garde les yeux baissés. À l'extrémité gauche, une commère observe la scène à la dérobée. À droite, Phoenix (*FENICE*) et Ajax (*AIACE*) semblent commenter l'entrée de Briséis. Tous les visages sont très expressifs[15] et les costumes – notamment les *calze* brodés et les armures – sont d'une grande finesse. *A contrario*, le paysage de l'arrière-plan est traité assez sommairement, avec l'emploi arbitraire de la feuille d'or pour représenter le ciel[16].

Une attribution incertaine

Lors de récentes recherches menées par Filippo Todini[17] et complétées dernièrement par Elvio Lunghi[18], ces panneaux ont été attribués à Niccolò di Liberatore di Giacomo di Mariano, appelé plus communément Niccolò Alunno. Ce

Petit côté gauche	Panneau de façade	Panneau de façade	Petit côté droit
Vénus/Pâris/Hélène	Ajax, Achille et Briséis	Achille contre Hector	Junon/Ménélas/Pallas

Petit côté gauche	Panneau de façade	Panneau de façade	Petit côté droit
Briséis et Achille	Les Adieux d'Achille et Briséis (cat. 9)	Briséis devant Agamemnon (cat. 10)	Agamemnon et Briséis

a

b

c

Fig. 32 a, b, c, d
Vénus/Pâris/Hélène
Ajax, Achille et Briséis
Achille contre Hector
Junon/Ménélas/Pallas,
dessins (ensemble et détails)
provenant de P. Schubring
Cassoni, 1915, pl. 506-510,
Paris, INHA, bibliothèque
littéraire Doucet.

d

peintre émilien (1430?-1502) serait l'auteur de quelques coffres de mariage aux styles très différents les uns des autres[19]. Aussi suivrons-nous sur ce point les conclusions d'Everett Fahy[20] qui considère que les panneaux du musée ne sont pas de Niccolò Alunno. Certes, la comparaison avec d'autres œuvres émiliennes, où l'on observe un traitement semblable des corps, souvent très fins, où les personnages possèdent des jambes galbées et des bras très allongés, constituent autant d'indices en faveur d'une telle attribution[21]. Néanmoins, le rapprochement avec un groupe de dessins florentins datés de la fin du Quattrocento que Bernard Berenson attribue à un certain « Alunno di Benozzo » reste troublant[22]. L'attribution de ces panneaux nous paraît délicate. Seules les recherches menées sur la production ombrienne et leur relation avec certains ateliers florentins devraient nous éclairer sur les auteurs de ces *cassoni*, dont la facture, assez maladroite, renforce le caractère tardif et archaïque.

Deux couples célèbres : un exemple à suivre

Un examen attentif de la répartition des scènes sur les deux *cassoni* révèle qu'ils sont organisés selon un schéma bien précis (voir tableaux ci-contre). Sur la moitié gauche (petit côté et panneau de façade), le peintre a réuni deux histoires d'amour positives, celle de Pâris et d'Hélène (Vénus/Pâris/Hélène) et celle d'Achille et Briséis (Achille rencontre Briséis, tels que le montrent les dessins de Ramboux dans l'ouvrage de Schubring ; le couple uni et la séparation dans les panneaux conservés à Écouen). Au contraire, sur la moitié droite (petit côté et panneau de façade, fig. 32 c, d), les perdants du récit homérique sont réunis, soit à la suite du jugement de Pâris (Junon/Ménélas/Pallas, fig. 32 a), soit à la suite de la colère d'Achille (Hector tué par Achille ; Agamemnon qui n'est pas aimé de Briséis).

Pâris et Hélène, Achille et Briséis, quatre héros jeunes, amoureux et protégés des dieux, incarnent l'image type du couple parfait, comme en témoigne la littérature médiévale[23]. Tous sont de naissance royale, voire semi-divine, et leur amour, leur jeunesse aussi bien que leur beauté les désignent à l'attention de chacun comme des héros légendaires. L'histoire d'Achille et de Briséis a été privilégiée au détriment de celle de Pâris et d'Hélène. En effet, l'enlèvement d'Hélène reste un acte adultère, tandis que l'amour d'Achille et Briséis est pur et irréalisable. Aussi, la douleur d'Achille abandonnant Briséis est un message pour les destinataires de ce présent matrimonial : que leur union ne prenne pas un tel chemin, qu'elle soit scellée par une paix durable, afin que les nouveaux époux demeurent longtemps unis et que rien ne vienne troubler cette union[24].

1. Ce dessin est conservé au Städel de Francfort-sur-le-Main et publié par P. Schubring, *Cassoni*, 1915, pl. 506-510.
2. P. Schubring, *Cassoni*, 1915, p. 341, notices 504-511.
3. G. P. Campana, *Cataloghi*, 1858, p. 20.
4. E. Du Sommerard, *Catalogue et description des objets d'arts et de l'Antiquité, du Moyen Âge et de la Renaissance exposés au musée*, Paris, 1883, p. 137.
5. Nous devons cette précieuse information à Everett Fahy, The Metropolitan Museum, lettre du 26 février 2001.
6. Seul un examen radiographique permettrait de vérifier si elles ont été ajoutées *a posteriori*.
7. Homère, *Iliade*, I, 166-202 : Achille doit rendre Briséis à Agamemnon ; *Iliade*, I, 315-352 : Briséis est conduite auprès d'Agamemnon.
8. En France, l'ouvrage le plus connu est celui de Benoît de Sainte-Maure, *Le Roman de Troie*. De nombreuses versions de l'histoire de Troie sont mentionnées *supra*, p. 23-24.
9. *Incipiunt aliqui libri [VIS III, IV, XIV, XVIII, XX, XXII-XXIV, ex Iliade Homeri translati p dum Nicolau de Valle… J.-P. de Lignamie, Rome, 1474.* Londres, British Library [Bl. G 8826]. Une édition grecque paraît chez A. P. Manutius à Venise en 1504. Londres, British Library.
10. Selon la tradition, Homère serait le premier auteur à mentionner les amours de Pâris avec la belle Hélène dans l'*Iliade*, XXIV, l. 25-30. Vénus fut l'artisan de cette union. Après que Pâris eut enlevé Hélène à son époux Ménélas, ce dernier demanda réparation pour cet outrage et, aidé de ses alliés, entreprit le siège de Troie.
11. La liste détaillée des éditions médiévales et renaissantes sont fournies dans l'Appendice A d'E. S. King, « The Legend of *Paris and Helen* », dans *The Walters Art Gallery*, 1939, 2, p. 68-69, note 29 et par M. R. Scherer, *The Legend of Troy in Art and Literature*, New York, Londres, 1963, p. 224-227.
12. Pour une lecture iconologique du jugement de Pâris et de l'enlèvement d'Hélène, cf. K. Simonneau, *Rituel matrimonial et coffres de mariage à Florence au XVe siècle : lectures iconologiques des « forzieri » à sujets ovidiens,* doctorat d'histoire de l'art moderne, université de Tours, CESR, 2000, chap. IV.
13. Homère, *Iliade*, I, 315-352.
14. *Ibid.*, I, v. 321.
15. Il est possible qu'ils aient subi plusieurs repeints.
16. Cette technique était utilisée pour les icônes et est abandonnée au début du XVe siècle dans la peinture italienne. Elle paraît donc ici totalement archaïque.
17. F. Todini, *La Pittura umbria dal Duecento al primo Cinquecento*, Milan, 1989, p. 242-244, fig. 987.
18. E. Lunghi, *Niccolò Alunno in Umbria. Guida alle opere di Niccolò di Liberatore detto l'Alunno nelle chiese e nei musei della regione*, Assise, 1993, p. 43-44.
19. Cf. les exemples réunis par F. Todini, *La Pittura umbria*, 1989, pl. 974-975 et 983.
20. Everett Fahy, The Metropolitan Museum de New York, lettre du 26 février 2001.
21. F. Todini, *La Pittura umbria*, 1989.
22. B. Berenson, « I disegni di Alunno di Benozzo », *Bollettino d'arte*, 1932, 25, 7, p. 293-306.
23. Hélène est célébrée à maintes reprises dans le *Filostrato* de Boccace, où elle est « il fior di tutte l'altre donne », IV, 64, 8, mais aussi I, 42, v. 8 ; III, 18, v. 5-6 ; VI, 30, v. 4-5 et VII, 84, v. 5 ; cf. Boccace, *Teseida*, I, 130, v. 7-8 : « Costei trapassa Elena,/cui io furtai, d'ogni bellezza piena ». Achille est également connu pour son courage, cf. J. Miziolek, *Soggetti classici* (cité p. 16), 1996, chap. IV « La giovinezza di Achille », p. 67-85.
24. Qu'on se remémore la vibrante supplique que Briséis adresse à Achille dans les *Héroïdes* d'Ovide, *Héroïdes*, II, Briséis à Achille.

III
Les panneaux isolés

Cat. 11

Combat de cavalerie entre Romains et Gaulois
E. Cl. 7507

Atelier florentin, 1450-1455
Bois de peuplier, débit sur dosse
45,3 x 137,6 x 3,8 cm

BIBLIOGRAPHIE
G. P. Campana, 1858, p. 21, n° 178;
E. Du Sommerard, 1883, n° 1712;
P. Schubring, 1915, p. 247-248, n° 120;
R. van Marle, 1928, p. 559; E. Callmann,
1974, p. 87; C. Fricaud, 1991, n° 46.

Entre les remparts d'une ville (à droite) et les tentes d'un camp militaire (à gauche), deux armées s'affrontent. Les heaumes ou certains caparaçons sont traités à la feuille d'or, collée sur le *gesso* et martelée au poinçon. L'emploi de cette technique permet au spectateur de distinguer dans la mêlée hommes et chevaux.

Sur l'un des étendards, on reconnaît le coq gaulois ; l'autre porte les initiales « SPQR » (*Senatus Populusque Romanus*) écrites en lettres capitales sur fond rouge. Nous ne savons pas de quelle bataille il s'agit. Par contre, la ville est probablement celle de Florence, que nous avons pu identifier grâce à certains édifices aperçus de part et d'autre de la porte d'entrée. À droite, on distingue le toit caractéristique d'une chapelle du monastère Santa Maria degli Angeli[1]. À gauche, le dôme coiffé de tuiles coniques est celui de la Vieille Sacristie de l'église San Lorenzo, achevée par Filippo Brunelleschi en 1446.

Ces deux citations architecturales nous conduisent à dater ce panneau autour de 1450.

Le panneau du musée est très proche d'une autre peinture plus tardive, vendue à Londres en 1964 et qui n'a pu être localisée depuis[2]. On peut relever de nombreuses similitudes, telles que l'emplacement du camp et de la ville, la forme du rempart ou la disposition des monuments à l'intérieur de la cité. En revanche, si l'une des armées est romaine (celle avec l'étendard avec l'inscription « SPQR »), l'autre est orientale : des hommes sont coiffés de turbans, portent des cimeterres à la taille et tirent à l'arc et non avec des arbalètes, comme les soldats romains.

Enfin, on notera dans ce paysage désertique la présence d'énormes pommiers luxuriants et féconds au centre du panneau du musée[3]. Le pommier est l'un des attributs traditionnels du mariage et aussi l'emblème vénusien de l'amour[4]. Ainsi, cette nature « moralisée » contribue à mettre en valeur le caractère emblématique des batailles. Ces panneaux de coffre n'ont donc pas pour seul objet d'illustrer un fait historique en relation avec les époux. Ils peuvent évoquer la victoire amoureuse qu'aurait emportée un prétendant sur son rival.

1. Cf. le dessin qu'en fit Marco di Bartolomeo Rustici vers 1447, dans son Codex conservé à Florence, Biblioteca del Seminario Maggiore.
2. Ce panneau a été publié dans le supplément du *Burlington Magazine* : « Notable Works of Art now on the Market », 1961, p. 601 et pl. IV. Il mesure 43 x 130 cm.
3. Ils figurent de part et d'autre sur l'autre panneau.
4. Se reporter à l'ouvrage de G. de Tervarent, *Attributs et symboles dans l'art profane*, 1958-1959, p. 311 ; voir également le rôle positif que joue la pomme d'or dans les mythes ovidiens du jugement de Pâris et d'Hippomène et Atalante.

Cat. 12

Le Siège d'une ville
E. Cl. 847

Atelier florentin, 1460-1470
Bois de peuplier, débit sur dosse
et faux quartier
48,2 x 158,3 x 3 cm

BIBLIOGRAPHIE
E. Du Sommerard, 1883, n° 1747;
P. Schubring, 1915, p. 352, n° 559;
C. Fricaud, 1991, n° 39.

Le siège d'Amour

Peu documenté, ce panneau avait été intitulé le *Siège de Rimini par les Malatesta,* par référence avec les batailles menées par cette famille célèbre. Aucun indice – armes ou bannières[1] – ne vient confirmer cette hypothèse[2].

La comparaison avec un autre panneau de coffre conservé au musée des Beaux-Arts d'Angers (fig. 33) et dont la composition est très proche s'avère plus intéressante. Au centre du panneau, la ville est vue sous le même angle.

Des soldats grimpent sur des échelles ou actionnent des machines de guerre, tandis qu'au pied des remparts, des hommes se protègent des jets de pierres et des flèches avec leur bouclier sur le côté gauche de l'enceinte. Des arbalétriers visent le chemin de ronde[3]. D'autre part, une intense activité militaire règne autour de la ville assiégée: on aperçoit de nombreuses tentes avec des soldats, des cavaliers portant lances et armures et plusieurs bateaux accostant sur le rivage[4]. La différence essentielle entre ces deux panneaux porte sur l'inscription «CARTA», située, dans le panneau d'Angers, au-dessus de l'entrée de ville. Aussi, selon Ellen Callmann, ce siège serait celui de la *Prise de Carthage* en 149 av. J.-C.[5].

Plus énigmatique est la présence d'un pommier tronqué par le bord inférieur du panneau du musée, qui semble plutôt signifier que nous sommes en présence d'une image plus allégorique qu'historique. Une telle juxtaposition entre un symbole matrimonial et une scène militaire n'est pas nouvelle, puisqu'on la rencontre sur un autre panneau conservé au Courtauld Institute de Londres (fig. 34), où figurent, d'un côté un mariage et, de l'autre, le siège d'une ville. De même, sur une autre scène de bataille conservée au musée, pommiers et bataille sont associés (cf. cat. 11). Aussi, nous sommes en droit de supposer qu'il s'agit ici du légendaire «château d'Amour assiégé», un thème topique dont la littérature et l'iconographie médiévales se sont fait l'écho, notamment dans les objets sculptés en os[6]. Habituellement, des femmes accueillent les belligérants en leur jetant des fleurs. Il est difficile ici d'en reconnaître une, puisqu'on n'identifie que des soldats assiégés. On a souligné l'emplacement incongru d'un pommier en bas et au milieu du panneau. Ce pommier, ainsi placé entre les deux camps,

suggère plutôt une thématique semblable à celle d'Hersilie, pacificatrice des Romains et des Sabins. Nous serions en présence d'un épisode de réconciliation matrimoniale qui aurait pu survenir entre deux familles longtemps restées rivales[7].

1. Seules les lettres « SPQR » sont visibles sur la bannière accrochée à la *tuba* du musicien à cheval, au centre du panneau.
2. Elle semble être énoncée pour la première fois dans l'ouvrage de Paul Schubring, *Cassoni*, 1915, p. 352, qui pense au siège de Pesaro – et non de Rimini – par les Malatesta. Habituellement, sur d'autres coffres célèbres, tels ceux de la *Bataille d'Anghiari* (1406) du Maître d'Anghiari, conservés à Dublin, l'identification des belligérants est possible, cf. G. Hughes, *Renaissance Cassoni*, 1997.
3. *Le Matin des peintres. Tableaux sur bois du XIVe au XVIe siècle des musées d'Angers*, Angers, 1993, p. 18-19, n° 4, « Siège de Carthage par Scipio L'Aemilianus en 146 av. J.-C. », 54 x 143 cm.
4. Certains détails – la forme des bateaux et celle des remparts – évoquent la *Bataille de Zama* conservée au musée des Arts décoratifs de Paris (PE 87, daté 1466), panneau de coffre attribué à Giovanni di ser Giovanni ou à l'école d'Apollonio di Giovanni. La ville d'où proviennent les navires est très certainement Florence, aisément identifiable grâce au Duomo de Santa Maria del Fiore.
5. *Le Matin des peintres*, 1993, p. 18, note 6.
6. O. Beigbeder, « Le château d'Amour dans l'ivoirerie et son symbole », *Gazette des beaux-arts*, 1951, n° 38, p. 65-76.
7. Hypothèse émise par Danièle Reynaud, séminaire d'iconologie, Tours.

Fig. 33
Anonyme,
Le Siège de Carthage,
XVe siècle,
Angers, musée des Beaux-Arts.

Fig. 34
Le Mariage et siège d'une ville,
XVe siècle,
Londres, Courtauld Institute.

Scène de bataille
E. Cl. 7508

Atelier florentin, 1460-1470
Bois de peuplier, débit sur dosse
42,2 x 163,6 x 3,5

BIBLIOGRAPHIE
G. P. Campana, 1858, n° 182;
E. Du Sommerard, 1883, n° 1713;
P. F. Perdrizet, 1907, p. 138; P. Schubring,
1915, p. 248, n° 123, pl. 23; C. Fricaud,
1991, n° 45.

Sur ce panneau, deux armées s'affrontent. Celle de droite porte un drapeau où sont inscrites les lettres « SPQR » (*Senatus Populusque Romanus*), qui identifient l'armée romaine. Le mauvais état de conservation du panneau et le peu de lisibilité de la scène ne permettent pas d'identifier l'auteur de cette peinture, ni de la dater très précisément [1].

1. La forme très particulière du rocher percé au centre rappelle celui qu'a peint Andrea Mantegna vers 1491 sur son tableau du *Mont Parnasse*, destiné au *studiolo* d'Isabelle d'Este et conservé au musée du Louvre.

Cat. 14

Énée et Anténor complotant contre Troie
E. Cl. 7506

Giovanni di ser Giovanni (Scheggia)
1455-1460
Bois de peuplier, débit sur dosse et faux quartier
42,9 x 155 x 4 cm

BIBLIOGRAPHIE
G. P. Campana, 1858, p. 21, n° 171;
E. Du Sommerard, 1883, n° 1711;
P. Schubring, 1915, p. 256, n° 146, pl. 28;
G. Hughes, 1997, p. 196; L. Bellosi et
M. Haines, 1999, p. 79.

L'attribution à Scheggia

Le panneau a été dernièrement atttribué à Scheggia. La comparaison avec un autre panneau de coffre de ce peintre, conservé au Museo Nazionale di San Matteo de Pise, conforte cette hypothèse, puisque le motif du cheval buvant dans l'eau de la rivière y figure également[1]. Il sera repris quelques années plus tard dans un autre panneau de l'entourage de Verrocchio, conservé au musée Jacquemart-André, à Paris (fig. 35).

Guido delle Colonne et la destruction de Troie

Récemment, Luciano Bellosi a souligné fort justement qu'il ne pouvait s'agir de la rencontre d'Énée et du roi Latinus au bord du Tibre[2], selon l'hypothèse ancienne de Paul Schubring[3]. Selon nous, l'histoire est tirée de l'*Historia destructionis Troiae* de Guido delle Colonne (1215-1290). Juriste de son état, Guido delle Colonne a composé de nombreux poèmes latins en prose. Pour son *Historia* terminée en 1287, il s'est inspiré de deux récits de la chute de Troie, l'un dit « authentique » attribué à Dictys de Crète et Darès le Phrygien[4], l'autre intitulé le *Roman de Troie* (1160-1165), œuvre populaire de Benoît de Sainte-Maure[5]. L'*Historia* de Guido delle Colonne, traduite du latin en toscan par Filippo Ceffi au XIVe siècle, a rencontré un réel succès et fut copiée à maintes reprises[6].

Le texte de l'*Historia* est une compilation réunissant différentes légendes et histoires, telles que Jason et la conquête de la Toison d'or (livre I), l'enlèvement d'Hélène et le jugement de Pâris (livres VI-VII), le siège de Troie (livre XIV), les amours de Troilus et Briséis (livres XIX et XX), différentes batailles entre Grecs et Troyens, l'exil d'Énée (livre XXXI) et la mort d'Ulysse (livre XXXV). L'épisode qui nous intéresse figure au livre XXIX.

Selon Guido delle Colonne, Anchise et son fils, Énée, accompagnés d'Anténor et de son fils, Polydamas, redoutent de tomber aux mains des Grecs et décident de trahir le roi Priam. Ils le rencontrent et lui font croire que la paix sera signée si Hélène est rendue à Ménélas. Sur le panneau de coffre, l'histoire débute à droite : Priam, en compagnie de Troyens et de son fils, Amphimacus (qui n'est pas représenté sur le panneau du musée) reçoit l'ambassade des Grecs [7]. Priam se méfie et craint une nouvelle traîtrise des Grecs. Il charge Amphimacus de veiller discrètement à sa sécurité avec plusieurs hommes armés et de tuer les Grecs s'ils deviennent menaçants. Dans le panneau du musée, Scheggia a évoqué cette entrevue secrète avec Amphimacus, le visage masqué par un *capuccio* (ou capuchon) [8]. Selon la version de Guido delle Colonne, Énée aurait été averti du complot [9]. Scheggia montre également cette scène : derrière Priam, entre deux colonnes, on aperçoit le visage désapprobateur d'un espion grec qui a surpris la conversation entre Priam et Amphimacus.

Dans l'*Historia*, lors d'une deuxième rencontre, Énée est accompagné d'Ulysse, de Diomède et de nombreux compagnons en armes. Cette arrivée en force contraint Priam à modifier ses plans et à prier son fils de ne pas intervenir [10]. Après plusieurs réunions, les conditions du traité de paix sont définies. Amphimacus est dénoncé et il est convaincu de trahison. Aussi Priam est-il obligé de le chasser de Troie. Scheggia a retenu cet épisode décisif de l'*Historia* : Priam sur son trône, l'air sombre, assiste impuissant

à l'arrestation et à l'expulsion de son fils. On identifie ce dernier sans difficulté : Amphimacus porte toujours son *capuccio*, ainsi que des *calze solate* rouge et des bottes molles[11]. L'épisode qui clôt le Livre XXIX n'est pas représenté (les Grecs trahissent la confiance de Priam et s'emparent du Palladium, conservé dans le temple de Pallas), à moins qu'il ne figure sur le second coffre, qui n'a pas été localisé ou qui a disparu.

Scheggia fait preuve d'une certaine originalité en choisissant cette histoire, dont nous n'avons pas rencontré d'autres représentations[12]. Les ouvrages sur la légende troyenne sont pourtant souvent mentionnés dans les inventaires des bibliothèques privées, dès le début du XVe siècle[13]. Il peut donc s'agir d'une suggestion du commanditaire qui aurait lu cette histoire ou possédé un tel ouvrage.

D'autre part, en l'absence d'exégèses de ce texte, nous ne pouvons pas déterminer le sens de cette peinture dans un contexte matrimonial. La solution de cette énigme est peut-être contenue dans le second coffre, où l'histoire d'un père se séparant de son fils pour lui sauver la vie trouverait une issue positive.

1. L. Bellosi et M. Haines, *Scheggia*, 1999, p. 91 : *Triomphe d'un général romain.*
2. *Ibid.*, p. 79 : « *la Storia d'un prigioniero di guerra* (di solito si dice che raffiguri *Enea accolto da re Latino*, ma non vi si legge una correspondanza con il relativo passo dell'*Eneide*) ».
3. P. Schubring, *Cassoni*, 1915, cite Virgile, *Énéide*, VII, v. 148-169.
4. Guido delle Colonne, *Historia destructionis Troiae*, éd. par M.E. Meek, Londres, 5, p. XI-XII.
5. Benoît de Sainte-Maure, *Le Roman de Troie*, éd. d'E. Baumgartner et F. Vielliard, Paris, 1998, p. 5-19.
6. Cf. N. de Blasi, *Libro de la destructione de Troya, volgarizzamento napoletano trecentesco*, Rome, 1986, p. 13-16. Boccace s'en inspirera pour son *Filostrato*. On dénombre actuellement une soixantaine de manuscrits latins et en langue vernaculaire, ainsi que plusieurs éditions imprimées dès la fin du XVe siècle.
Pour les différentes parutions, cf. *ibid.*, p. 9-35. En 1474, l'imprimeur anglais, William Claxton a publié à Bruges la première édition du texte en français, sous le titre de *Recuyel des Histoyres de Troye*.
7. Guido delle Colonne, *Historia destructionisTroiae*, 1974, livre XXIX, v. 25-95.
8. *Ibid.*, v. 96-163.
9. *Ibid.*, v. 164-173.
10. *Ibid.*, v. 179-185.
11. *Ibid.*, v. 266-312 ; Guido delle Colonne, *Historia destructionis Troiae*, éd. de N. Griffin, Cambridge, 1936, p. 225, livre XXIX, fol. 108 r° : « *Amphimacus perpetuo relegetur ab urbe sine spes* ». Sur le panneau d'Écouen, Priam compte sur ses doigts.
12. L'ensemble de son œuvre le prouve, avec une version de l'*Histoire de Coriolan* et deux représentations de l'*Histoire de Trajan*. Sur ce thème, cf. l'article de C. Klapisch-Zuber, *Les Noces feintes*, 1995, p. 11-30.
13. C. Bec, *Les Livres des Florentins (1413-1608)*, 1984, p. 27, mentionne plusieurs ouvrages en *volgare* sur Troie, en 1420 (p. 152), en 1429 (p. 168) (« *Fatti di Troia* », p. 172), en 1431 (p. 174) et en 1435 (p. 179).

Fig. 35
Andrea Verrocchio (atelier)
Bataille,
XVe siècle,
Paris, Institut de France,
musée Jacquemart-André.

Cat. 15

L'Histoire d'Énée : la défaite de Turnus et les noces d'Énée et Lavinia
E. Cl. 7505

Apollonio di Giovanni
1460
Bois de peuplier, débit sur dosse
44,2 x 132,2 x 3,8 cm

BIBLIOGRAPHIE
G. P. Campana, 1858, p. 15, n° 172 ;
E. Du Sommerard, 1883, n° 1710 ;
P. Schubring, 1915, p. 256, n° 147, pl. 29 ;
E. Callmann, 1974, p. 69, n° 39 ;
C. Fricaud, 1991, n° 11 ; J. Klein Morrison,
1992, p. 38-43, (ill. 9) ; G. Hughes, 1997,
p. 132.

Les sources du récit

Les différents épisodes peints sont tirés de l'*Énéide* de Virgile[1], à l'exception de celui de droite, où l'on voit les noces d'Énée et Lavinia que raconte Tite-Live dans son *Histoire romaine*[2].

Au XIVe siècle, ces deux récits sont réunis par le frère Guido de Pise dans une version romancée de l'*Énéide* intitulée : *I Fatti d'Enea*[3]. Ce poème, écrit entre 1320 et 1330, s'appuie sur la traduction vernaculaire de l'*Énéide* réalisée par Andrea Lancia, un juriste florentin, ainsi que sur diverses compilations médiévales de la légende d'Énée. Bien que l'œuvre de Virgile ait bénéficié d'un réel succès éditorial et littéraire, l'influence du texte de Guido de Pise paraît plus vraisemblable[4]. En effet, chez Virgile, le texte se termine avec la mort de Turnus, alors que chez Guido de Pise, Énée et Lavinia se marient, une fin plus appropriée dans un contexte matrimonial.

La rencontre d'Énée et de Latinus ; la défaite de Turnus ; les noces d'Énée et Lavinia

La répartition des différentes scènes et leur hiérarchisation dans l'espace apparaît ici relativement dense et complexe. Ce type de composition relève cependant d'une pratique courante dans les ateliers de *cassoni*. L'histoire débute à gauche (fig. 36), lorsque Énée et ses hommes parviennent en Campanie à bord de leurs vaisseaux. Ces derniers sont figurés au premier plan, en « miniature ».

Selon le récit qu'en font Virgile et Guido de Pise, Latinus, roi des Laurentins, avait consulté un oracle lui annonçant que seul un étranger pouvait épouser sa fille unique, Lavinia. Aussi Latinus réserve-t-il un accueil chaleureux à Énée et ses compagnons. Il se présente à lui paume gauche levée et tient une lance empennée, la pointe fichée dans le sol. Énée porte une palme à la main pour témoigner de ses intentions pacifiques. Or, deux personnes vont s'opposer

Fig. 36 (cat.15), page 78
Apollonio di Giovanni
*Histoire d'Énée: la défaite
de Turnus et les noces d'Énée
et Lavinia,*
détail: Énée et ses hommes
arrivent en Campanie.

Fig. 37 (cat.15), page 79
Apollonio di Giovanni
*Histoire d'Énée: la défaite de
Turnus et les noces d'Énée et
Lavinia,*
détail: la reddition de Turnus.

au choix de Latinus qui souhaite Énée pour gendre: Amata, son épouse, et Turnus, prétendant de Lavinia. Deux camps se forment alors et la guerre est déclenchée entre Turnus et Énée.

Le deuxième épisode important montre l'alliance d'Énée avec Pallas et son fils, Évandre. Les hommes sont réunis autour d'un autel, au pied des remparts d'une imposante cité. Ils s'apprêtent à sacrifier un bœuf, couché au premier plan. De cette rencontre entre Énée et Pallas naîtra une solide amitié qui a son importance pour la fin du récit virgilien. La guerre fait rage entre les deux camps, et plusieurs scènes de combat sont décrites tant par Virgile que par Guido de Pise. Apollonio di Giovanni n'en a représenté qu'une, à droite de la cité, en lisière de forêt, celle où Arruns tue Camille, la reine des Volsques, qu'une inscription « CAMILLA » permet d'identifier [5].

L'épisode suivant au centre du panneau montre le combat singulier de Turnus avec Énée auquel assistent depuis leurs fenêtres le roi Latinus, Lavinia, sa fille, et Amata, son épouse qu'une inscription désigne à l'attention du spectateur. D'un geste, Latinus invite les deux armées à cesser le combat pour laisser les héros s'affronter seuls. Dans les versions de Virgile et de Guido de Pise, Amata choisit de se pendre plutôt que de voir Turnus vaincu. On comprendra aisément qu'il était impossible de représenter une telle scène sur un *cassone*. Néanmoins, plusieurs indices permettent de souligner sa désapprobation: sa position – à gauche de Lavinia – indique traditionnellement le mauvais côté (*a sinistra*). Même le motif des tapisseries posées sur le bord des fenêtres diffère pour Amata, alors qu'il est identique pour Latinus et sa fille (fig. 37).

Sur le panneau, l'issue du combat est clairement indiquée: Turnus, un genou à terre, accepte la défaite. À ses pieds, deux gants, un casque, une lance de tournoi brisée et une pièce d'armure

sont posés épars. Selon Virgile et Guido de Pise, Énée accepte dans un premier temps la reddition de Turnus et accueille favorablement son souhait de renoncer à épouser Lavinia. Il est même prêt à lui laisser la vie sauve. Mais lorsqu'il s'aperçoit que Turnus a revêtu l'armure de son ami Pallas, mort dans la bataille, Énée tue alors Turnus d'un coup d'épée dans la poitrine. Apollonio di Giovanni n'a pas choisi de représenter cette scène. Il est probable que les pièces d'armure mises en évidence de part et d'autre de Turnus revêtent une double signification: d'une part, la défaite de Turnus serait illustrée par l'expression « jeter le gant »; d'autre part, les armes posées autour de Turnus évoquent celles prises sur la dépouille de Pallas.

Le dernier épisode, à droite, est une scène d'*anellamento*. Elle a pour cadre une arcade, fermée sur trois côtés par des tapisseries tissées d'or. Énée, à gauche, et Lavinia à droite, sont entourés de leurs témoins. Au centre, Latinus officialise l'union (fig. 38).

Un heureux dénouement

En quelques scènes, ce panneau de coffre retrace le parcours exemplaire d'un prétendant et de sa promise qui les conduit vers l'heureux dénouement du mariage. Au début de l'histoire, Énée fait part de ses intentions pacifiques auxquelles le roi Latinus répond favorablement. Pour vaincre Turnus, le fiancé officiel de Lavinia, Énée fait alliance avec les habitants et remporte la bataille. Le conflit avec Turnus se termine par une scène d'allégeance, où ce dernier s'avoue vaincu et accepte de renoncer à Lavinia.

À l'arrière-plan, la mort de Camille, guerrière intrépide qui refuse le mariage, a valeur d'avertissement pour Lavinia: si elle refuse l'époux que lui propose son père, elle trouvera « la mort », c'est-à-dire qu'elle ne pourra se marier [6]. Aussi accepte-t-elle son époux: contrairement au texte de Virgile, sa mère, Amata, donne son accord à

cette union en levant ostensiblement sa main droite, de même que Latinus qui tend son bras gauche vers son nouveau gendre (fig. 37). Lavinia, les mains posées sur la tapisserie, n'esquisse aucun geste. Ses noces seront ensuite célébrées avec faste, comme on le voit dans la partie droite du panneau (fig. 38).

1. Virgile, *Énéide*, plus particulièrement les livres X-XII.
2. Tite-Live, *Histoire romaine*; éd. de J. Bayet, Paris, 1940, I, 1-11.
3. Guido da Pisa, *I Fatti d'Enea*; éd de F. Foffano, Florence, 1920, Rub. LX.
4. Jennifer (Klein) Morrison, « Apollonio di Giovanni's *Aeneid* Cassoni and the Virgil Commentators », *The Yale University Art Bulletin*, 1992, p. 27-47, propose une autre source, celle d'une édition latine de l'*Énéide* complétée d'un livre XIII par Maffeo Vegio en 1428, p. 38-40. Nous n'avons pas retenu cette hypothèse.
5. Selon Boccace, *De mulieribus claris*, Milan, 1970, X, « Camilla » incarne le modèle de l'épouse chaste, cf. l'interprétation de l'*Histoire de Camille* conservée au musée des Beaux-Arts de Tours par C. Balavoine et K. Simonneau, « Histoire de Camille: lecture iconologique », dans *Italies… Peintures des Musées de la Région Centre*, Somogy, 1996, p. 81-83, cat. 15.
6. Cf. W. Chapman Peek, « Kings Day, Queen Night: the Virgin Camille in the *Roman d'Eneas* », dans *Menacing Virgins. Representing Virginity in the Middle Ages and Renaissance*, ed. by K. Coyne Kelly and M. Leslie, Newark, 1999. Dans son article, l'auteur oppose la vierge Camille aux futures épouses, Lavinia et Didon, p. 71-82 et plus particulièrement p. 72.

Fig. 38 (cat.15)
Apollonio di Giovanni
*Histoire d'Énée: la défaite
de Turnus et les noces d'Énée
et Lavinia,*
détail: l'union d'Énée et de
Lavinia.

IV
ÉTUDE AU LABORATOIRE D'UN PANNEAU DE CASSONE, COMBAT DE CAVALERIE SOUS LES MURS DE TROIE (cat. 2)

Christine BENOÎT

Introduction

L'étude en laboratoire d'une œuvre de musée porte sur son aspect matériel. Des examens d'imagerie scientifique sont tout d'abord réalisés, afin d'approfondir notre connaissance de l'œuvre et de son état de conservation : des photographies sous différents rayonnements ainsi qu'une radiographie du panneau ont été effectuées. La radiographie, technique d'imagerie par transmission, permet de visualiser la superposition des éléments constitutifs, de la surface de l'œuvre à son support. L'ensemble du dossier de photographies scientifiques a été interprété et confronté à l'observation du panneau et à son examen sous loupe binoculaire. La loupe binoculaire donne une image grossie de la matière picturale, de sa stratigraphie et de ses altérations, qui peut être documentée par des macrophotographies. L'étude de la composition élémentaire des pigments a été effectuée directement sur l'œuvre par micro-fluorescence X. Enfin, pour tenter de répondre à quelques questions qui s'étaient ainsi précisées, des microprélèvements de surface ont été effectués au scalpel et observés au microscope optique et au microscope électronique à balayage. Les résultats sont présentés en suivant les étapes traditionnelles de la réalisation de ce type de panneau, qui correspondent aux techniques pratiquées en Italie aux XIVᵉ et XVᵉ siècles, décrites en particulier dans le célèbre traité *Le Livre de l'art* de Cennino Cennini[1]. La réalisation d'un décor sur coffre est assimilée par Cennini à celle des polychromies sur panneaux, qui correspondent aux citations de cet article : « Si tu veux travailler sur des coffres ou des coffres-forts et le faire d'une façon royale, enduis-les de plâtre et suis toutes les méthodes que tu utilises pour travailler sur panneau, pour dorer, peindre, grener, faire des ornements, vernir, sans m'étendre pour te l'expliquer point par point[2]. »

Le support

Le support du panneau étudié (cat. 2, fig. 39) est constitué de deux planches de peuplier, à fil horizontal, débitées sur dosse et sur faux quartiers[3]. La radiographie montre que les deux planches sont horizontales, assemblées à joints vifs, et qu'il n'existe aucune trace de clous : une planche large est située vers le bas, tandis qu'une planche plus étroite est assemblée en haut, de biais car large de 5 cm sur la gauche et de 1,8 cm sur la droite. Le panneau[4] a été aminci par rapport à son épaisseur d'origine et on voit au revers de nombreuses galeries d'insectes xylophages tandis que sur la face des trous d'envol percent la couche picturale. Les panneaux employés en Italie étaient traditionnellement en peuplier, du peuplier blanc ou noir, d'une bonne épaisseur en raison de la faiblesse et du manque de densité de ce type de bois. L'artiste devait veiller à ce qu'il soit sec avant de commencer son travail, à en aplanir les défauts, en particulier les nœuds, pour bien égaliser la surface.

Les couches de préparation

Le panneau était ensuite encollé avec plusieurs couches de colle animale, Cennini préconise par exemple l'emploi de colle faite avec des rognures de parchemin de mouton. L'encollage permettait de réduire l'absorption du bois et assurait l'adhésion entre le support et les couches supérieures. Une toile, ou des morceaux de toile, étaient ensuite posés sur l'encollage : « Une fois que tu as encollé, prends une toile, c'est-à-dire une vieille toile de lin, fine, en fil blanc, sans aucune tache de graisse. Prends ta meilleure colle ; coupe et déchire des bandes de toile, grandes et petites ; trempe-les dans cette colle ; étends-les avec les mains, sur la surface plane des panneaux ; enlève d'abord les coutures ; aplanis-les bien avec les paumes ; laisse sécher pendant deux jours. Sache que pour coller et enduire de plâtre, il faut un temps sec et du vent[5]. » Les pièces de lin permettaient de renforcer les jonctions entre les planches, d'égaliser les éventuels défauts et de réduire l'influence de leurs mouvements sur les couches de surface. L'image radiographique révèle que la planche du bas présente des nœuds et des départs de branches dans le tiers gauche. L'encollage apparaît plus épais sur ces défauts du bois. Six pièces de toile ont été posées : la plus grande recouvre tout le tiers gauche du panneau. Cinq autres pièces se répartissent autour de la médiane du panneau, trois en haut et deux en bas, le centre n'étant pas recouvert de toile[6]. Cet encollage, qui nous apparaît un peu hétéroclite,

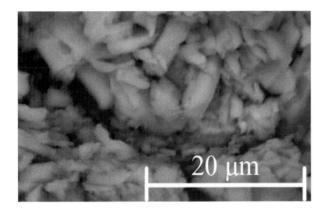

20 μm

Fig. 40
Image au microscope
électronique à balayage
de la couche de préparation
ou *gesso*, constituée de sulfate
de calcium.

des préparations de panneaux italiens et est constitué de sulfate de
calcium, probablement du gypse, dont la morphologie a pu être
observée au microscope électronique à balayage (fig. 40). Il n'a pas
été possible d'étudier la stratigraphie des couches de gesso sur une
coupe car la préparation présente un aspect pulvérulent, semblant
indiquer une altération due à l'humidité.

Le dessin préparatoire

Sur le *gesso* poli, le peintre réalisait le dessin de l'ensemble de la
composition, dans un premier temps avec du charbon de bois qui
pouvait facilement s'effacer, puis à l'encre. La photographie en
lumière infrarouge, rayonnement permettant de pénétrer un peu
dans les couches picturales et de révéler un éventuel dessin sous-
jacent, n'a pas mis en évidence de dessin sur le panneau étudié. La
réflectographie infrarouge n'a pas non plus révélé de dessin.

La réalisation du décor en feuilles métalliques

Avant toute application de peinture, venaient la pose et le travail des
feuilles métalliques : « Une fois que tu as dessiné entièrement ton
retable prends une aiguille placée dans un petit manche ; et gratte
les contours de la figure à la limite des fonds que tu dois dorer, et les
ornements qui sont à faire sur les figures, et certains vêtements en
drap d'or[8]. » Le travail d'incision pour délimiter les zones de pose
des feuilles métalliques est particulièrement élaboré sur le panneau

est loin d'être inhabituel pour l'époque et a pu être observé sur
d'autres œuvres[7]. On remarque que les grandes craquelures visibles
dans la matière picturale vers la gauche du tableau sont liées aux
défauts du support, malgré l'attention portée à la préparation de
cette zone.

Une fois l'encollage sec, l'étape suivante concernait la pose de la
préparation proprement dite. Le peintre égalisait la surface du
panneau en posant dans les creux un mélange de plâtre et de colle,
puis posait une ou plusieurs couches de fond blanc, appelé *gesso*, qu'il
polissait entre chaque couche. En effet, il était important lorsque
l'on souhaitait appliquer de l'or ou des feuilles métalliques d'avoir
un support parfaitement lisse pour donner l'illusion d'un métal épais.
Le *gesso* du panneau étudié, appliqué en couche épaisse, est typique

étudié. Un relevé complet en a été fait qui permet de retrouver une certaine lisibilité des zones altérées, comme par exemple dans la partie centrale de la bataille (fig. 41). Les incisions délimitent l'intégralité des zones dorées, harnachement des chevaux, chapeaux et cimiers, ainsi que des zones argentées, tels les armures, les heaumes, les armes, les mors des chevaux. Ces incisions ont été réalisées à main levée et présentent une exécution rapide et assurée. Les hampes des lances sont les seules zones peintes à comporter des incisions, un trait droit ayant été tracé, probablement avec un guide, sur l'un des côtés, particularité que l'on peut trouver sur d'autres œuvres [9].

Une fois les zones métalliques délimitées, le peintre posait le bol, couche constituée de bol d'Arménie, un pigment de couleur brun-rouge de la famille des ocres, préparé a *tempera* avec du blanc d'œuf ou de la colle légère. Le fond poli ainsi préparé offrait une sous-couche plane de couleur chaude à la fine feuille métallique qui y était déposée. Cette sous-couche est visible dans les zones où les feuilles métalliques sont usées ou altérées, en particulier sous les armures (fig. 44). Le bol rouge a été passé en une mince couche dont on peut voir les coups de pinceau, et semble être identique sous l'or et sous l'argent. En effet, lorsque les feuilles d'or et d'argent sont contiguës, la couche de bol apparaît continue entre les deux zones. Les feuilles d'or étaient battues extrêmement mince, de l'ordre de 250-300 nanomètres [10]; la figure 43 donne une idée de son faciès et de sa finesse; c'est un or d'une excellente pureté, dans lequel on détecte seulement de faibles traces de cuivre. La feuille d'or était délicatement déposée par morceaux sur le bol humidifié avec de l'eau mélangée à un peu de blanc d'œuf; la feuille était aspirée par la surface humide et si l'adhérence n'était pas parfaite, le doreur la pressait très légèrement avec de la ouate. Le plus souvent, les morceaux se recouvraient légèrement, mais si des espaces vides

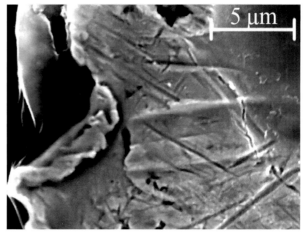

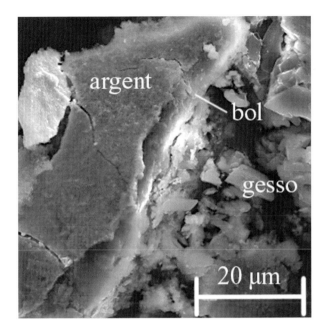

Fig. 44
Image au microscope
électronique à balayage d'un
fragment de feuille d'argent.
L'argent, oxydé sous forme
de sulfures et de chlorures,
repose sur une couche de bol
d'environ 1 à 2 micromètres
d'épaisseur, lui-même posé
sur un *gesso* épais.

que tu as doré. Mets-le à plat sur deux tréteaux ou sur un banc. Prends ta pierre à brunir et frotte-la sur ta poitrine ou là où tu as tes meilleurs vêtements, sans tâches de gras. Réchauffe-la bien; puis tâte l'or, pour voir si c'est encore le moment de le brunir. […] Brunis ainsi peu à peu une surface plane, d'abord dans un sens, puis dans l'autre, avec la pierre que tu conduis bien à plat. Et si parfois, sous le frottement de la pierre, tu t'aperçois que l'or n'est pas uni comme un miroir, alors prends de l'or et mets-en une feuille ou une demi-feuille dessus, en soufflant d'abord; aussitôt après, brunis-le avec la pierre. […] Quand verras-tu qu'il est bien bruni? L'or devient alors presque brun, à force d'être brillant [11]. » On procédait de même pour les feuilles d'argent. La figure 44 montre la stratigraphie sous un fragment de feuille d'argent. D'une manière générale, la pose des feuilles du panneau suit précisément le tracé des incisions de bord, mais on a pu relever quelques modifications (fig. 45 et 46) ou repentirs (fig. 47).

subsistaient, ils étaient comblés par de petits fragments de feuille d'or afin d'obtenir une surface uniformément dorée. Pour obtenir de l'éclat, l'or devait être bruni, c'est-à-dire frotté avec une pierre dure, de forme arrondie, parfaitement polie. « Prends ton panneau ou ce

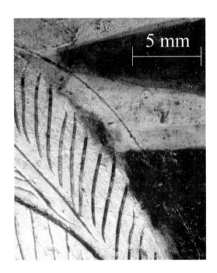

Fig. 45
Détail sous loupe binoculaire
des incisions pour une plume
de cimier: les incisions
de décor forment les barbes
de la plume. On remarque que
la limite de l'incision de bord
n'a pas été parfaitement
respectée et que la limite entre
dorure et peinture est floue.

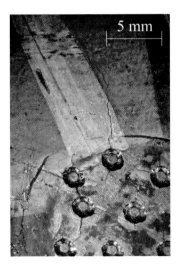

Fig. 46
Détails des incisions sous
loupe binoculaire: sur la
hampe de la lance, seule partie
peinte incisée d'un côté; décor
floral poinçonné du chapeau
dont l'incision de bord n'a pas
été respectée.

Fig. 47
Repentir, observé sous loupe
binoculaire, dans le tracé
des incisions: la limite
de la zone peinte en blanc,
en haut à droite, avait été dans
un premier temps prévue plus
basse.

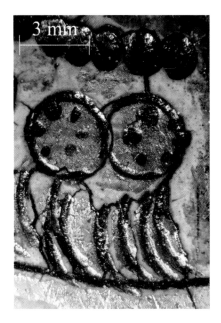

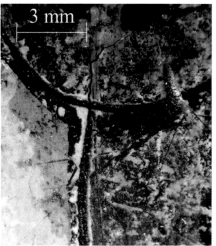

Fig. 48
Détail sous loupe binoculaire d'un harnachement de cheval doré : la position de la feuille d'or est délimitée en bas par une incision, en haut par des poinçons ronds. Au centre on observe des décors poinçonnés sur la feuille (groupe de six points, cercles et arcs de cercles). La feuille d'or est usée, on voit le *gesso* blanc, un peu de bol rouge et des restes d'or dans les creux du décor.

Fig. 49
Décor incisé de la feuille d'argent pour rendre l'aspect d'une cotte de maille. On note le noircissement et différents aspects de l'altération du métal ayant entraîné l'apparition de lacunes.

Fig. 50
Détail sous loupe binoculaire du décor floral du chapeau de l'homme à gauche : on observe des restes de couleur rouge, en particulier dans les creux des poinçons.

Fig. 51
Détail sous loupe binoculaire de l'articulation du genou de l'armure du même homme sur la gauche : on note l'important écaillage de la feuille d'argent noircie et la présence du trait au noir d'os qui souligne le bord de l'armure.

Fig. 52
Détail sous loupe binoculaire de la hampe d'une lance peinte sur les incisions et la feuille d'argent.

Le décor des feuilles métalliques était ensuite martelé avec des poinçons ou incisé avec des stylets. Des décors variés ont été exécutés, en particulier pour les harnachements des chevaux (fig. 48), les plumes, les rivets des armures, les cottes de maille (fig. 49)[12]. Certaines parties métalliques ont été colorées par des glacis rouges ou violets. C'est le cas des bonnets et cimiers rouges (fig. 50), de la cape de certains chevaux, où la couche d'or sous-jacente donne de l'éclat à la couleur semi-transparente qui lui est superposée. Les contours des éléments en argent, en particulier les plaques des armures, ont été rehaussés d'un trait noir (fig. 51).

L'aspect des feuilles s'est altéré avec le temps : les feuilles d'or présentent des usures laissant apparaître le bol rouge ou le *gesso* blanc. Les feuilles d'argent se sont oxydées en sulfures et chlorures d'argent, composés de couleur noire : cette transformation chimique, en plus de la modification de couleur, a entraîné une variation dimensionnelle de la feuille d'argent qui s'est fragmentée, a perdu son adhésion avec la couche de bol, s'est soulevée puis déplaquée. Notre perception des zones argentées est donc altérée par le noircissement du métal et son écaillage.

Le décor peint
Les parties polychromes étaient peintes après le travail des feuilles métalliques, comme le montre bien la superposition des couches de

Fig. 53
Détail sous loupe binoculaire
d'un visage peint.

la figure 52. Une matière picturale est constituée du mélange de pigments, apportant la couleur, avec un médium, généralement à base de jaune d'œuf, pour lier les pigments et en permettre l'application. Les pigments nécessitaient des opérations de préparations dont les plus usuelles, réalisées dans l'atelier, étaient le lavage à l'eau et le broyage. Le broyage, effectué également à l'eau, permettait d'éliminer les agrégats et de réduire la taille des particules pour former une poudre de la finesse et de la teinte désirées. Les pigments étaient broyés à la main, sur une pierre à broyer en pierre dure comme le porphyre, à l'aide d'une molette, pierre plate d'un côté et bombée de l'autre, menée à deux mains bien à plat sur la pierre. Les pigments étaient broyés séparément les uns des autres et pouvaient ensuite être conservés.

Lorsque l'on souhaitait peindre, chaque nuance était préparée peu de temps avant l'application de la peinture qui ne pouvait être stockée. La couleur était appliquée en fines touches juxtaposées à l'aide de pinceaux en poils de petit-gris ou en soies de porc. Les recommandations de Cennini pour le fini des carnations sont illustrées par la figure 53 : « Quand tu as passé tes couleurs chair de sorte que le visage est presque bien, fais un ton de chair un peu plus clair et modèle les reliefs du visage, en les rehaussant peu à peu, délicatement jusqu'à ce que tu en arrives à retoucher avec du blanc de plomb pur quelques petits éléments en relief, plus saillants que les autres, comme les cils et le bout du nez. Cerne ensuite le bord supérieur des yeux, d'un fin contour noir, avec quelques petits poils, et les narines. Prends ensuite un peu de sinopia foncée, avec une pointe de noir et profile

tous les contours du nez, des yeux, des cils et des cheveux [...] [13]. » La palette des couleurs minérales du panneau est en accord avec les pigments utilisés au XVe siècle : le blanc des couches picturales est du blanc de plomb, comme dans la robe des chevaux blancs et gris, et ce pigment est très souvent présent en mélange pour éclaircir les teintes. Des ocres ont été employés pour rendre les couleurs brunes du paysage, les robes de chevaux et en mélange dans les carnations. Les carnations sont constituées d'un mélange de blanc de plomb, d'ocre et de rouge vermillon. Du vermillon donne la couleur aux capes et plastrons, ainsi qu'aux rouges posés sur l'or. Du noir d'os forme les lignes de rehauts sur les armures d'argent, les gris du paysage et a été additionné à des laques pour foncer les nuances. Un peu de jaune de plomb et d'étain de la variété I [14] a été identifié dans les laques sur or. Les bleus sont constitués d'un bleu à base de cuivre, l'azurite, d'usage le plus fréquent dans la seconde moitié du XVe siècle [15], et l'on a seulement trouvé quelques traces de bleu d'outremer. On identifie de l'azurite dans le bleu du ciel (fig. 54), les capes et les plastrons violets apparaissant maintenant brun foncé, les laques violettes sur or. Dans les couleurs violettes, l'azurite est mélangé à de l'oxyde de fer, de l'ocre, de la laque et du noir d'os. Le vert des feuillages est constitué d'un mélange de terre verte, de noir de charbon, d'un vert au cuivre qui est probablement un résinate de cuivre ; le mélange contient vraisemblablement une laque jaune sur sulfate de calcium, qui apparaît également glacée en fine couche sur le vert. On a identifié un autre vert au cuivre moins connu, du chlorure de cuivre [16], dans certaines laques. La palette pigmentaire

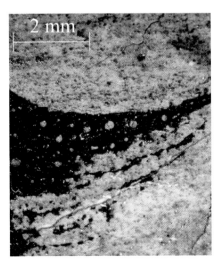

Fig. 54
Observation sous loupe binoculaire de grains bleus d'azurite dans le ciel et sous le feuillage des arbres.

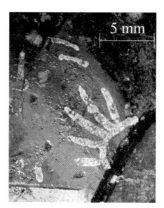

Fig. 56
Détail sous loupe binoculaire
de l'or posé avec un mordant
sur les étoffes peintes.

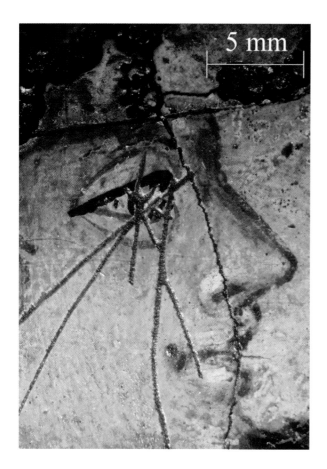

Fig. 55
Détail sous loupe binoculaire
d'une agression sur les yeux
d'un personnage.

identifiée sur le *cassone* est relativement limitée et tout à fait comparable à celle étudiée sur d'autres panneaux florentins contemporains[17].

Si les couleurs claires, les gris, les rouges et les ocres, les carnations, les collines et les architectures ont conservé leur fraîcheur de coloris, l'aspect de certaines couleurs s'est altéré avec le temps : les verts des feuillages et des plantes ont foncé, les bleus et les violets des capes et des plastrons ont fortement bruni. L'assombrissement des verdures pourrait être lié à la décoloration de la laque jaune avec le temps, laissant dominer la contribution des constituants les plus foncés du mélange, comme le noir de charbon, et entraînant de surcroît la perte du modelé de surface. Le brunissement des couleurs bleues et violettes pourrait être lié au noircissement de l'azurite, pigment présent dans toutes ces couleurs, phénomène qui a été fréquemment observé sans que sa cause ait pu encore être établie[18]. Ces noircissements modifient notre perception du contraste chromatique de la composition. D'autres altérations affectent les couches picturales, en particulier des agressions, coups, griffures,

dont certaines apparaissent liées à l'usage mobilier du coffre, mais dont d'autres ont été délibérément effectuées : la majorité des personnages a ainsi eu les yeux crevés (fig. 55).

Une des dernières étapes de la phase peinte concernait la pose de fins décors d'or sur les vêtements pour imiter des broderies dorées (fig. 56). Le décor était d'abord peint sur la polychromie avec un adhésif appelé mordant, fréquemment à base d'huile cuite et siccativée, présentant un aspect épais et poisseux. Après un temps de séchage, le mordant ayant atteint le degré de collant souhaité, un morceau de feuille d'or y était appliqué puis les parties non adhérentes au motif étaient éliminées.

Le panneau est verni et la photographie sous lumière ultraviolette permet de visualiser l'homogénéité de la couche de surface. Elle apparaît restaurée, certaines zones comme les ors ayant reçu une couche particulière, et on note des refixages et des repiquages localisés.

Conclusion

Le *cassone* du musée national de la Renaissance, *Combat de cavalerie sous les murs de Troie*, attribué à Scheggia, a été réalisé selon les techniques traditionnelles florentines de la peinture sur panneau. Ce travail peut être mis en parallèle d'une façon très satisfaisante d'une part avec le traité de Cennino Cennini du début du XVe siècle, d'autre part avec d'autres peintures florentines sur panneau qui lui sont contemporaines et qui relèvent également d'un savoir-faire traditionnel. La palette pigmentaire concorde avec celle utilisée dans la seconde moitié du XVe siècle, les pigments les plus onéreux semblant cependant avoir été délaissés au profit de couleurs plus communes. Le meilleur exemple est sans doute l'abandon du bleu d'outremer, pigment cher nécessitant une longue et minutieuse préparation à partir du lapis lazuli, au profit de l'azurite, pigment au cuivre, plus commun et moins coûteux. L'altération la plus remarquable est celle des feuilles d'argent, dont le métal s'est oxydé en sulfures et chlorures d'argent noirs, et qui présentent de nombreuses zones lacunaires altérant la lisibilité de l'œuvre.

Remerciements

Je tiens à remercier mes collègues, Élisabeth Ravaud, radiologue, pour la radiographie du panneau et son interprétation et Elsa Lambert, photographe, pour les clichés scientifiques d'ensemble de l'œuvre.

1. Ouvrage de compilation d'un savoir traditionnel italien, principalement pictural, daté entre 1396 et 1437.
2. Cennino Cennini, *Il libro dell'arte*, chap. CLXX. Consulté dans la traduction de Colette Déroche, éditions Berger-Levrault, Paris, 1991, p. 295.
3. Rapport d'étude de Daniel Jaunard, mai 2002.
4. Dimensions hors cadre de la face H.37,5 x L.161,5 cm.
5. Cennino Cennini, *op. cit.*, chap. CX IV p. 212.
6. Le morceau de toile à gauche et les trois morceaux du haut paraissent présenter une densité de tissage similaire, de 15 par 18 fils au centimètre carré, tandis que les deux morceaux en bas vers la droite semblent être plus fins, d'une densité de 19 par 19 fils au centimètre carré.
7. A. Massing, N. Christie, « The Hunt in the Forest by Paolo Uccello », *The Hamilton Kerr Institute*, 1, 1988, p. 30-47.
8. Cennino Cennini, *op. cit.*, chap. CXXIII p. 224.
9. A. Roy, D. Gordon, « Uccello's Battle of San Romano », *National Gallery Technical Bulletin*, 22, 2001, p. 7.
10. D. Bomford, J. Dunkerton, D., Gordon, A. Roy, *Art in the Making. Italian painting before 1400*, National Gallery Publications, 1989, p. 22.
11. C. Cennini, *op. cit.*, chap. CXXXVIII, p. 242.
12. Nous avons relevé l'utilisation de cinq poinçons différents sur l'ensemble du panneau : un poinçon en forme de fleur à six pétales, utilisé isolé ou en frise, imprimé fortement s'il est placé sous de la laque, plus légèrement ailleurs. Un poinçon rond, appliqué isolé ou en frise, ayant en particulier servi pour les rivets des armures d'argent. Un poinçon avec six points disposés en étoile. Un poinçon en forme de cercle employé en combinaison avec les poinçons rond et en étoile dont le motif s'inscrit à l'intérieur du cercle ; le motif central a été imprimé en premier, le cercle en second. Enfin, un poinçon en forme d'arc de cercle, employé principalement sur les bords des harnachements des chevaux et qui a été apposé en dernier sur le décor. Le poinçon à six points en étoile peut être rapproché du poinçon n° 598 de Pietro Nelli référencé dans E. S. Skaug, *Punch Marks from Giotto to Fra Angelico*, IIC Nordic Group, Oslo, 1994.
13. C. Cennini, *op. cit.*, chap. CXLVII, p. 259-260.
14. E. Martin, A. R. Duval, « Les deux variétés de jaune de plomb et d'étain. Étude chronologique », *Studies in Conservation*, 35, 1990, p. 117-136.
15. E. Martin, S. Bergeon, « Des bleus profonds chez les Primitifs italiens », *Techne*, 4, 1996, p. 74-89.
16. C. Seccaroni, P. Moioli, « Pigmenti a base di rame : fonti storiche e analisi scientifiche », Opificio delle Pietre Dure, *Restauro*, 7, 1995.
17. J. Dunkerton, A. Roy, « The Materials of a Group of Late Fifteenth-century Florentine Panel Paintings », *National Gallery Technical Bulletin*, 17, 1996, p. 20-31.
18. *Artists'Pigments. A Handbook of Their History and Characteristics*, National Gallery of Art, 1993, vol. 2 « Azurite and blue Verditer » par R. J. Gettens et E. West Fitzhugh, p. 27.

LISTE DES PEINTRES PAR LOCALISATION

FLORENCE

Giovanni di ser Giovanni, dit Scheggia
(1406-1486)

Le Cheval de Troie
et un *Combat de cavalerie sous les murs de Troie*:
cat. 1, p. 22-23 et **cat. 2**, p. 26-27
Hersilie réconciliant les Romains et les Sabins
et *l'Entrée triomphale de Romulus et Tatius*: **cat. 5**,
p. 42-43, 44, 45 et **cat. 6**, p. 46-47
Cornélie et Tiberius Gracchus
et une *Histoire non identifiée*: **cat. 7**, p. 50-51, 52,
53, 54, 55, 57 et **cat. 8**, p. 58, 59, 60, 61, 63
Énée et Anténor complotant contre Troie: **cat. 14**,
p. 74-75

Apollonio di Giovanni
(1415/17-1465)

*L'Histoire d'Énée: la défaite de Turnus et les noces
d'Enée et Lavinia*: **cat. 15**, p. 77, 78, 79, 81

Ateliers florentins

Combat de cavalerie entre Romains et Gaulois:
cat. 11, p. 68-69
Le Siège d'une ville: **cat. 12**, p. 70
Scène de bataille: **cat. 13**, p. 72-73

SIENNE

Guidoccio Cozzarelli
(1450-1516/1517)

L'histoire de Lucrèce et de Tarquin: **cat. 3**, p. 28,
29, 31, 32, 34
Le Départ d'Ulysse: **cat. 4**, p. 36-37, 38, 39, 40

ÉCOLE OMBRIENNE

Les Adieux d'Achille et Briséis
et *Briséis devant Agamemnon*: **cat. 9**, p. 64
et **cat. 10**, p. 65

Bibliographie

Éditions originales

BOCCACE, *De casibus virorum*
Johannios Bocacii, *De Cecaldis, Historiographi, prologus in libro de Casibus Virorum illustrium incipit*. [Londres, British Library, 86.k.12 (1)]

PLUTARQUE, *Vies*
Vite de Plutarcho traducte de latino in vulgare in Aquila al magnifico Lodovicho torto par Baptista Alexandro Iaconello de Riete, XVᵉ siècle. [Londres, British Library, C.1.C.7]

PLUTARQUE, *Vies*
Campanus Francisco Piccolominio Cardinali Senensi meo salutates, imprimé par Udalrichus Gallus, [Rome, 1470?]. [Londres, British Library, C.1.d 1,2]

Sources médiévales

GUIDO DELLE COLONNE
Historia destructionis Troiae, édition et traduction par Mary Elizabeth Meek, Londres, Bloomington, Indiana University Press, 1974.

GUIDO DELLE COLONNE
Historia destructionis Troiae, édition par Nathaniel Griffin, Cambridge (Mass.), Mediaeval Academy of America, 1936.

GUIDO DELLE COLONNE
Libro de la destructione de Troya volgarizzamento napoletano trecentesco, édition critique par Nicola de Blasi, Rome, Bonacci, 1986.

PETRARCA, Francesco
Trionfi, intr. et notes de Guido Bezzola, Milan, Biblioteca Universale Rizzoli, 1984.

PÉTRARQUE
Canzoniere = Le Chansonnier, éd. bilingue de P. Blanc, Paris, Bordas, 1988.

PLUTARQUE
Vies, texte établi et traduit par R. Flacelière et E. Chambry, Paris, Les Belles Lettres, 16 vol., 1976-1979.

SAINTE-MAURE, Benoît de
Le Roman de Troie [Milan, ambr. ms D 55], éd. d'E. Baumgartner et F. Vieillard, Paris, 1998.

SERVIUS
Servii Grammatici qui feruntur in Vergilii Aeneidos Libros VI-VIII commentarii, recensuit G. Thilo, Lipsiae, B.G. Teubner, 1883, vol. 1.

VALÈRE Maxime
Faits et dits mémorables, texte traduit par R. Combès, Paris, Les Belles Lettres, 1997, vol. 2.

VIRGILE
L'Énéide, texte établi et traduit par J. Perret, 4ᵉ éd., Paris, Les Belles Lettres, 3 vol., 1993-1995.

Ouvrages généraux et articles

1. Histoire des collections

CALLMANN, Ellen
« William Blundell Spence and the Transformation of Renaissance Cassoni », *The Burlington Magazine*, 1999, juin, p. 338-348.

CAMPANA, Giovanni Pietro
Cataloghi del Museo Campana, Rome, 1858.

DU SOMMERARD, Edmond
Catalogue et description des objets d'art et de l'Antiquité, du Moyen Âge et de la Renaissance exposés au Musée, Paris, hôtel de Cluny, 1883.

LACLOTTE, Michel, et MOGNETTI, Élisabeth
Peinture italienne, Avignon, musée du Petit Palais, Paris, 1976.

De Giotto à Bellini, les primitifs italiens dans les musées de France, catalogue de l'exposition, Paris, Orangerie des Tuileries, mai-juillet 1956, Musées nationaux, 1956.

Le « gothique » retrouvé avant Viollet-le-Duc, catalogue de l'exposition, 31 octobre 1979 – 17 février 1980, Paris, CNMHS, 1979.

MIZIOLEK, Jerzy
« The Lanckoronski Collection in Poland », *Antichità Viva. Rassegna d'Arte*, 1995, 34, 3, p. 27-49.

NADALINI, Gianpaolo
« La Villa-musée du marquis de Campana à Rome au milieu du XIXᵉ siècle », *Journal des savants*, 1996, 2, p. 420-463.

OURSEL, Hervé, et CRÉPIN-LEBLOND, Thierry
Musée national de la Renaissance, guide, Paris, Réunion des musées nationaux, 1994.

PERDRIZET, Paul-Frédérick et René-Jean
La galerie Campana et les musées français, Bordeaux, Ferret et fils, 1907.

SARTI, Susanna
Giovanni Pietro Campana (1808-1880): the Man and His Collection, Oxford, Archaeopress, 2001.

2. Histoire du mariage et du mobilier

BARRIAULT, Anne Brickey
Spalliera Paintings of Renaissance Tuscany. Fables of Poets for Patrician Homes, Pennsylvanie: Pennsylvania University Press, 1994 (Ph. Dissertation, Mc Lean, Virginia, 1985).

BASKINS, Cristelle L.
Cassone Painting, Humanism, and Gender in Early Modern Italy, Cambridge, Cambridge University Press, 1998.

BERNACCHIONI, A.
« Le Botteghe di pittura: luoghi, strutture e attività », dans *Maestri e Botteghe: pittura a Firenze alla fine del Quattrocento, Mostra, Firenze, Palazzo Strozzi, 16 ottobre 1992-10 gennaio 1993*, Milan, 1992, p. 5-15.

BRUCKER, Gene A.
Giovanni et Lusanna: amour et mariage à Florence pendant la Renaissance; avant-propos de Christiane Klapisch-Zuber; trad. fr. par Remy Lambrechts, Paris, Alinéa, 1991.

CHABOT, Isabelle
« La « sposa in nero ». La Ritualizzazione del lutto delle vedove fiorentine. (Secoli XIV-XV) », *Quaderni storici*, 1994, 29, août, 2, p. 421-462.

FRICAUD, Christine
La Représentation des scènes de bataille sur les coffres de mariage du XVᵉ siècle italien, mémoire de maîtrise, Paris I Sorbonne, 1991.

HERLIHY, David, et KLAPISCH-ZUBER, Christiane
Les Toscans et leurs familles: une étude du catasto florentin de 1427, Paris, Presses de la F.N.S.P., E.H.S.S., 1978.

HUGUES, Graham
Renaissance Cassoni. Masterpieces of Early Italian Art: Painted Marriage Chests (1400-1550). Londres, Art Books, 1997.

KLAPISCH-ZUBER, Christiane
La Maison et le nom. Stratégies et rituels dans l'Italie de la Renaissance, Paris, E.H.E.S.S., 1990.

KLAPISCH-ZUBER, Christiane
« Les Noces florentines et leurs cuisiniers », p. 193-199, dans *La Sociabilité à table, commensalité et convivialité à travers les âges, Actes du colloque de Rouen, 14-17 novembre 1990*, textes réunis par Martin Aurell, Olivier Dumoulin et Françoise Thelamon, Rouen, Publications de l'université de Rouen, 1991.

KLAPISCH-ZUBER, Christiane
« Les Noces feintes. Sur quelques lectures de deux thèmes iconographiques dans les *cassoni* florentins », dans *I Tatti Studies. Essays in the Renaissance*, 1995, 6, p. 11-30.

MARETTE, Jacqueline
Connaissance des Primitifs par l'étude du bois du XIᵉ au XVIᵉ siècle, préface de Germain Bazin; introduction de Clément Jacquiot, Paris, C.N.R.S., Picard, 1961.

PAGLIUZZI, Vicenzo
« Mobili del medioevo: il cassone, la cassapanca, il seggiolone, dal secolo XII al secolo XV », *Arte illustrata*, 1968, 1, p. 38-42.

PAMPALONI, G.
« Le Nozze », dans *Vita privata a Firenze nei Secoli XIV e XV*, sous la direction de P. Bargellini, Florence, L. S. Olschiski, 1966.

PIGNATTI, Terisio
Mobili italiani del Rinascimento, Milan, A. Vallardi, 1962.

POMMERANZ, Johannes W.
Pastigliakästchen. Ein Beitrag zur Kunst und Kulturgeschichte der italienischen Renaissance, Münster, New York, 1995.

QUINTERIO, Francesco
« La Festa sacra e profana », p. 79-98, dans *Per Bellezza, per studio, per piacere. Lorenzo il Magnifico e gli spazi dell'arte*, sous la direction de F. Borsi, Florence, 1991.

SCHLOSSER, Julius von
« Die Werkstatt der Embriachi in Venedig », *Jahrbuch der Kunsthistorischen Sammlungen des Allerhöchsten Kaiserhaus*, 1899, p. 220-282.

SCHÜBRING, Paul
Cassoni: Truhen und Truhenbilder der italienischen Frürenaissance: ein Beitrag zur Profanmalerei in Quattrocento, Leipzig, K. W. Hiersemann, 2 vol., 1915.

SIMONNEAU, Karinne
Rituel matrimonial et coffres de mariage à Florence au XVᵉ siècle: lectures iconologiques des « forzieri » à sujets ovidiens, doctorat d'histoire de l'art moderne, université de Tours, C.E.S.R., 2000.

SIMONNEAU, Karinne
« L'*Enlèvement d'Europe* sur les coffrets à pastiglia (fin XVᵉ-début XVIᵉ siècle) », p. 215-224, dans *D'Europe à l'Europe -III-. La dimension politique et religieuse du mythe de l'Europe de l'Antiquité à nos jours*, Paris, E.N.S., 29-30 novembre 2001; textes réunis par O. Wattel-De Croizant, Tours, C. de Bartillat, 2002.

THORNTON, Peter
The Italian Renaissance Interior, 1400-1600, Londres, Weidenfeld & Nicolson, 1991, t. 1.

WATSON, Paul F.
Virtu and Voluptas in Cassone Painting, Ph. Dissertation, Yale (New Haven), 2 vol., 1970.

3. Historiographie et ateliers

ARASSE, Daniel
L'Homme en perspective. Les primitifs d'Italie, Genève, Famot, 1978.

ATTOLINI, Giovanni
Teatro e spettacolo nel Rinascimento, Rome, Bari, Laterza, 1988.

BALAVOINE, Claudie, et SIMONNEAU, Karinne
« Histoire de Camille: lecture iconologique », dans *Italies… Peintures des Musées de la Région Centre*, Paris, Somogy, 1996, p. 81-83, cat. 15.

BASKINS, Cristelle L.
« Bad Tom and the Splinter: Masaccio's Brother, Giovanni di Ser Giovanni, Lo Scheggia (1406-1486) », Conférence publique, Worcester, Departement of Visual Art, College of the Holy Cross, 1989.

BEC, Christian
Les Marchands écrivains: affaires et humanisme à Florence, 1375-1434, Paris, La Haye, Mouton, 1967.

BEC, Christian
Les Livres florentins (1413-1608), Florence, L.S. Olchiski, 1984.

BEIGBEDER, O.
« Le château d'Amour dans l'ivoirerie et son symbole », *Gazette des beaux-arts*, 1951, 38, p. 65-76.

BELLOSI, Luciano et HAINES, Margaret
Lo Scheggia, Florence, Sienne, Maschietto & Musolino, 1999.

BERENSON, Bernard
Essays in the Study of Sienese Painting, New York, F. Fairchild Sherman, 1918.

BERENSON, Bernard
Central and North Italian Pictures of the Renaissance, Londres, Putnam's Son, 1897-1907.

BERENSON, Bernard
« I disegni di Alunno di Benozzo », *Bolletino d'arte*, 1932, 25, 7, p. 293-306.

Le Biccherne. Tavole dipinte delle magistrature senesi (secoli XIII-XVIII), sous la direction de L. Borgia *et al.*, Rome, F. Le Monier, 1984.

BOLGAR, R.R.
The Classical Heritage and its beneficiaries. From the Carolingian Age to the End of the Renaissance, New York, Harper, 1991, 591 p.

CALLMANN, Ellen
Apollonio di Giovanni, Oxford, Clarendon Press, 1974.

CALLMANN Ellen
« Apollonio di Giovanni and Painting for the Early Renaissance Room », *Antichità viva. Rassegna d'arte*, 1988, 37, 3-4, p. 5-18.

CARDINI, Franco
« Il Torneo nelle feste cerimoniali di corte », *Quaderni di Teatro*, 1984, 25, p. 9-19.

CAVAZZANI, Laura
Il fratello di Masaccio. Giovanni di ser Giovanni detto lo Scheggia. Mostra, San Giovanni Valdarno, 14 febbraio-16 maggio 1999, Sienne, Florence, Maschietto & Musolino, 1999.

CECCHANTI, Melania
« Un inedito Plutarco laurenziano con note per il miniatore », *Rivista di storia della miniatura*, 1996-1997, 1-2, p. 69-76.

CECCHINI, Giovanni
« La guerra della congiura dei Pazzi e l'andata di Lorenzo de'Medici a Napoli », *Bollettino Senese di Storia Patrici*, 1965, 72, p. 291-301.

CHAPMAN Peek, W.
« Kings Day, Queen Night: the Virgin Camille in the *Roman d'Eneas* », p. 71-82, dans *Menacing Virgins. Representing Virginity in the Middle Ages and Renaissance* sous la direction de K. Coyne Kelly et M. Leslie, Newark, University of Delaware, 1999.

CHASTEL, André
Fables, formes, figures, t 1., Paris, Flammarion, 1978.

CONTI, Elio, GUIDOTTI, Alessandro et LUNARDI, Francesco
La civiltà fiorentina del Quattrocento, Florence, Vallechi, 1993.

COURCELLE, Jeanne
« Les illustrations de l'*Énéide* dans les manuscrits du Xᵉ au XVᵉ siècle », dans *Lectures médiévales de Virgile. Actes du colloque organisé par l'École Française de Rome (Rome, 25-28 oct. 1982)*, Rome, palais Farnèse, École française de Rome, 1985, p. 395-409.

COURCELLE, Pierre et Jeanne
Lecteurs païens et lecteurs chrétiens de l'Énéide, Paris, Institut de France, 2 vol., 1984 (mémoire de l'Académie des inscriptions et belles-lettres, t. 4).

DE SCHOUTHEETE DE TERVARENT (chevalier)
« Quelques œuvres d'art dont l'inspiration est faussement attribuée à Virgile » (XVᵉ et XVIᵉ siècles), *Bulletin de la classe des Beaux-Arts (Bruxelles)*, 1961, 43, 1-4, p. 64-77.

The Early Sienese Paintings in Holland, H.W. Van Os *et al.*, Florence, Centro Di, 1989, 157 p.

ETTLINGER, Leopold D.
The Sistine Chapel Before Michelangelo. Religious Imagery and Papal Primacy, Oxford, Clarendon Press, 1965.

Francesco di Giorgio e il Rinascimento a Siena (1450-1500), éd. par L. Bellosi, Sienne, 1993.

GALINSKY, Hans
Der Lucretia-Stoff in der Welt-Literatur, Breslau, Prierbatsch, 1932.

GIACHETTI, Anton Francesco
« Contributo alla storia del volgarizzamento del sec. XIV delle *Vite parallele* di Plutarco », *Rivista delle Biblioteche e degli archivi*, 1910, 21, 1-3, p. 1-16.

GINATEMPO, Maria
Crisi di un territorio. Il popolamento della Toscana senese alla fine del Medioevo, Florence, Olschki, 1988, 705 p. Giorgi (Andrea), « Le Maligne società nelle campagne », dans *Storia di Siena. 1: Dalle origini alla fine della repubblica*, éd. par Roberto Barzanti, Giuliano Catoni, Mario de Gregorio, Sienne, Alsaba, 1995, t. 1, p. 279-290.

Giotto to Dürer. Early Renaissance Painting in the National Gallery, éd. par J. Dunkerton, S. Foister, D. Gordon *et al.*, Londres, New Haven, National Gallery & Yale University Press, 1991.

GIUSTINIANI, Vito R.
« Sulle traduzioni latine delle *Vite* di Plutarco nel Quattrocento », *Rinascimento, rivista dell'Istituto Nazionale di Studi sul rinascimento*, 1961, 1, p. 3-62.

GORRA, Egidio
Testi inediti di storia trojana, preceduti da uno studio sulla leggenda trojana in Italia, Turin, E. Loescher, 1887.

GRIECO, Allan
« Le thème du cœur mangé : l'ordre, le sauvage et la sauvagerie », dans *La Sociabilité à table, commensalité et convivialité à travers les âges, Actes du colloque de Rouen, 14-17 novembre 1990*, textes réunis par M. Aurell, O. Dumoulin et F. Thélamon, Rouen, publications de l'université de Rouen, 1991, p. 21-27.

GUIDO DA PISA, frère
I Fatti d'Enea, avec introduction et notes de F. Foffano, Florence, Sansoni, 1920.

JED, Stephanie H.
Chaste Thinking. The Rape of Lucretia and the Birth of Humanism, Bloomington & Indianapolis, 1989.

KANTER, Laurence B.
« Rethinking the Griselda Master », *Gazette des beaux-arts*, 2000, février, p. 147-156.

KING, Edward S.
« The Legend of *Paris and Helen* », *The Walters Art Gallery*, 1939, 2, p. 55-72.

KLAPISCH-ZUBER, Christiane
« Du pinceau à l'écritoire. Les "Ricordanze" d'un peintre florentin au XVe siècle » dans *Artistes, artisans et production artistique au Moyen Âge, Colloque international, C.N.R.S., 2-6 mai 1983, université de Rennes II*, éd. par X. Barral I Altet, t. 1, *Les Hommes*, Paris, Picard, 1986, p. 567-576.

LE CORSU, Françoise
Plutarque et les femmes dans les Vies parallèles, Paris, Les Belles Lettres, 1981.

LOLLINI, Fabrizio
« Le *Vite* di Plutarco alla Malatestiana (S. XV.1, S. XV.2, S. XVII.3). Proposte ed osservazioni per il periodo di transizione tra Tardogotico e Rinascimento nella miniatura settentrionale », dans *Libreria Domini. I manoscriti della Biblioteca Malatestiana: testi e decorazioni*, sous la direction de F. Lollini et P. Lucchi, Bologne, Garfis, 1995, p. 189-224.

MORANDI, Marcio
Il Mito di Ulisse nella pittura a fresco del 500'italiano, avec la collaboration d'Orietta Pinessi, Milan, Jaca Book, 1995.

LUNGHI, Alvio
Niccolò Alunno in Umbria. Guida alle opere di Niccolò di Liberatore detto l'Alunno nelle chiese e nei musei della regione, Assise, Minerva, 1993, 115 p.

MATHER, J. F.
« Three Cassone Panels by Matteo da Siena », *Art in America*, janvier 1913.

Le Matin des peintres. Tableaux sur bois du XIVe au XVe siècle des musées d'Angers, Angers, musées d'Angers, 1993.

MITCHELL, Charles
A Fifteenth Century Italian Plutarch (British Museum Add. Ms. 22318), Londres, Faber & Faber, 1961.

MIZIOLEK, Jerzy
Soggetti classici sui cassoni fiorentini alla viglia del Rinascimento, Varsovie, Instytut sztuki polskiej akademii nauk, 1996.

MORPURGO, S.
I Manoscritti dello R. Biblioteca Riccardiana di Firenze, t. 1: *Manoscriti italiani*, Rome, 1900.

MORRISON, Jennifer Klein
« Apollonio di Giovanni's *Aeneid* Cassoni and the Virgil Commentators », *The Yale University Art Bulletin*, 1992, p. 27-47.

MUSACCHIO, Jacqueline M.
« The Rape of the Sabine Women on Quattrocento Marriage-panels », p. 66-82, dans T. Dean et J. P. Lowe, *Marriage in Italy, 1300-1650*, Cambridge, Cambridge University Press, 1998.

PAARDEKOOPER, Ludwin
« Due famiglie rivali e due pale di Guidoccio Cozzarelli », dans *Prospettiva*, 1993, 72, p. 51-65.

PADOA RIZZO, A.
« Cozzarelli Guidoccio », *Dizionario Biografico Italiano*, Rome, Istituto della Enciclopedia Italiana, 1984, t. 30, p. 555-556.

« Notable Works of Art now on the Market », *Burlington Magazine*, suppl., p. 601 et pl. IV.

OLSEN, Harald
« A Florentine Cassone Workshop », dans *Idea and Form. Studies in the History of Art*, Stockholm, Almqvist & Wiksell, 1959, p. 69-75.

PASQUIER, Bernadette
Virgile illustré de la Renaissance à nos jours en France et en Italie, Paris, J. Touzot, 1992.

PASTOUREAU, Michel
Couleurs, images, symboles. Études d'histoire et d'anthropologie, Paris, Léopard d'or, 1988.

PEDROLI M.
« Giacomo Cozzarelli (1453-1515) », dans *Dizionario Biografico Italiano*, Rome, 1984, t. 30, p. 557-559.

PELLEGRINI, Ettore
L'Iconografia di Siena nelle opere a stampa. Vedute generali della città dal XV al XIX secolo, Sienne, Lombardi, 1986.

La Pittura senese nel Rinascimento (1420-1550), Keith Christiansen, Laurence B. Kanter et Carl Brandon Strehlke, Sienne, Monte dei Paschi di Siena, 1989.

POCHAT, Götz
Theater und bildende Kunst im Mittelalter und in der Renaissance in Italien, Grace, Akademische Druck, 1990.

POLIDORI CALAMANDREI, E.
Le Vesti delle Donne Fiorentine nel Quattrocento con ottanta tavole fuori testo in nero e a colori e nove figure, Rome, Multigrafica, 1973.

POPE-HENNESSY, John, et CHRISTIANSEN, Keith
« Secular Painting in 15th-Centuries Tuscany: Birth Trays, Cassone, and Portraits », *The Metropolitan Museum of Art Bulletin*, 1980, été, p. 2-48.

REINACH, Salomon
« Essai sur la mythologie figurée et l'histoire profane dans la peinture italienne de la Renaissance », *La Revue archéologique*, 1915, 5/1, p. 94-171.

The Renaissance from Brunelleschi to Michelangelo. The Representation of Architecture; éd. par. H. A. Millon, V. Magnano Lampugnami, Londres, Thames & Hudson, 1994.

RONCIÈRE, Charles M. de La
« L'Exil de Filippo et Lorenzo di Matteo Strozzi d'après les lettres de Monna Alessandra Macinghi negli Strozzi leur mère (1441-1446) », dans *Exil et civilisation en Italie (XIIe-XVIe siècles)*, études réunies par J. Heers et C. Bec, Nancy, Presses universitaires de Nancy, 1990, p. 67-93.

SARTI, G.
*Trente-Trois Primitifs italiens de 1310 à 1500:
du sacré au profane*, Londres, G. Sarti, 2000.

SERCAMBI, Giovanni
Il Novelliere, sous la direction de Luciano Rossi,
Rome, Salerne, 1974, t. 1, p. 263-266.

*Sienese Paintings in Holland, Groningen, Museum
voor Stad en Laude, 28 March-28 april 1969;
Utrecht, Aartsbisschoppelijk Museum, 2 may-9
june 1969.*

*Statuti dell'Arte dei Legnaioli di Firenze (1301-
1346)*, sous la direction de Francesca Morandini,
Florence, L.S. Olschki, 1958.

*Storia di Siena. I: Dalle origini alla fine della
repubblica*, éd. par Roberto Barzanti, Giuliano
Catoni, Mario de Gregorio, Sienne, Alsaba,
1995.

TANTURLI, Giulano
« La Cultura fiorentina volgare del Quattrocento
davanti ai nuovi testi greci », *Medioevo e
Rinascimento*, 1998, 2, p. 217-243.

TATRAI, V.
« Il Maestro della Storia di Griselda e una
famiglia senese di mecenati dimenticata », *Acta
Historiae Artium, Academiae Scientiarum
Hungaricae*, 1979, 25, p. 27-66.

TERVARENT, Guy de
Les Énigmes de l'art, Paris, éd. d'Art et
d'Histoire, 1946, t. 3: *L'Héritage antique*,
p. 72-75.

TERVARENT, Guy de
*Attributs et symboles dans l'art profane, 1450-
1600. Dictionnaire d'un langage perdu*, Genève,
Droz, 2 vol., 1958-1959.

THIÉBAUX, Marcelle
« The Mouth of the Boar as a Symbol in
Medieval Literature », *Romania Philology*, 1968-
1969, 22, 1, août, p. 281-299.

TITE-LIVE
Histoire romaine, texte établi et traduit par
J. Bayet, Paris, Les Belles Lettres, 1940.

TODINI, Filippo
*La Pittura umbria dal Duecento al primo
Cinquecento*, Milan, Longanesi, 2 vol., 1989.

TOMASI VELLI, Silvia
« L'iconografia del « Ratto delle Sabine ».
Un'indagine storica », *Prospettiva. Rivista di
storia dell'arte antica e moderna*, 1991, juillet,
63, p. 17-39.

TREXLER, Richard C.
« The Magi enter Florence: Ubriachi of Florence
and Venice », p. 11-36, dans *Church and
Community (1200-1600). Studies in the History
of Florence and New Spain*, Rome, 1987.

VALERIO, Giulia
« La cronologia dei primi volgarizzamenti
dell'Eneide e la diffusione della Commedia »,
dans *Medioevo romanzo*, 1985, 10 avril, 1,
p. 3-18.

VAN MARLE, Raymond
*The Development of the Italian Schools of
Painting*, La Haye, Martinus Nijhoff, 1924-
1938, t. 10, 11, 16.

CRÉDITS PHOTOGRAPHIQUES

Publication du département de l'Édition
sous la direction de Catherine Marquet

Responsable d'édition :
Geneviève Rudolf

Coordination éditoriale :
Chantal Bor pour le musée national de la Renaissance

Iconographie :
Chantal Bor et Herveline Pousse pour l'agence
photographique de la Réunion des musées nationaux

Préparation et relecture des textes :
Claire Marchandise

Conception graphique et mise en pages :
Pierre-Louis Hardy

Fabrication :
Hugues Charreyron

La photogravure a été réalisée par IGS, Angoulême

Cet ouvrage a été imprimé et façonné en janvier 2005
sur les presse de EMD, Lassay-les-Châteaux

Dépôt légal : janvier 2005
Imprimé en France
ISBN : 2-7118-4835-3
RMN : SZ 00 4835